S0-AQP-766

3 1668 07104 6319

TEDBooks

Más allá de lo medible

El gran impacto de las pequeñas cosas

MARGARET HEFFERNAN

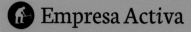

Empresa Activa

Argentina – Chile – Colombia – España
Estados Unidos – México – Perú – Uruguay – Venezuela

Título original: *Beyond Measure*
Editor original: TED Books - Simon & Schuster, Inc., New York
Traducción: Sergio Lledó Rando

TED, the TED logo, and TED Books are trademarks of TED Conferences, LLC.

1.ª edición Marzo 2017

Reservados todos los derechos. Queda rigurosamente prohibida,
sin la autorización escrita de los titulares del *copyright*, bajo las san-
ciones establecidas en las leyes, la reproducción parcial o total de
esta obra por cualquier medio o procedimiento, incluidos la repro-
grafía y el tratamiento informático, así como la distribución de
ejemplares mediante alquiler o préstamo público.

Copyright © 2015 by Margaret Heffernan
All Rights Reserved
© 2017 de la traducción *by* Sergio Lledó Rando
© 2017 *by* Ediciones Urano, S.A.U.
Aribau, 142, pral. - 08036 Barcelona
www.empresaactiva.com
www.edicionesurano.com

ISBN: 978-84-92921-68-3
E-ISBN: 978-84-16990-20-7
Depósito legal: B-3.671-2017

Fotocomposición: Ediciones Urano, S.A.U.

Impreso por: MACROLIBROS, S.L.
Polígono Industrial de Argales - Vázquez de Menchaca, 9 - 47008 Valladolid

Impreso en España - *Printed in Spain*

Para Pamela Merriam Esty

ÍNDICE

Me gusta lo que encuentro en el trabajo:
la oportunidad de encontrarse a uno mismo.

Joseph Conrad

Más allá de lo medible

INTRODUCCIÓN

En el trabajo lo calculamos todo, salvo lo que realmente importa. Ingresos, gastos, productividad, compromiso, rotación del personal... Los números son consoladores y proporcionan una ilusión de control, pero cuando nos enfrentamos a un éxito o fracaso rotundo todos, desde el CEO hasta el conserje, señalan en la misma dirección: la cultura de empresa. La cultura de empresa, que está más allá de lo mesurable y a veces parece ir también más allá de la comprensión, se ha convertido en el ingrediente secreto de la vida de las organizaciones, aquello que marca la diferencia, pero para lo cual nadie tiene una receta.

La paradoja de la cultura organizacional reside en el hecho de que aun siendo lo que marca las diferencias más grandes, está compuesta de pequeñas acciones, hábitos y elecciones. La cultura de una organización está formada por el cúmulo de esos comportamientos, que proceden de todos los rincones, desde lo más alto a lo más bajo del escalafón, de dentro y fuera de la empresa en sí misma. Parece algo caótico, pero al mismo tiempo las actuaciones de cualquier individuo pueden alterar su orden.

Esto supone una maldición y una suerte a partes iguales. Para los líderes significa que la cultura surge por iniciativa propia, no solo más allá de lo medible, sino también de su control. Aunque la cultura organizacional no sea mesurable, lo que sí podemos calcular es el alto porcentaje de fracaso de los programas dirigidos a cambiar esa cultura, un índice que se eleva hasta el 70 por ciento. Esto hace que la cultura parezca un ente esquivo y difícil de controlar cuyo gobierno resulta imposible.

La suerte estriba en el hecho de que las culturas organizacionales son sistemas no lineales. Pequeños cambios tales como escuchar, hacer preguntas o compartir información, alteran inconmensurablemente las ideas, percepciones y conexiones que esos sistemas son capaces de producir. Cada una de estas pequeñeces genera unas respuestas que influyen en el propio sistema. Y todos, desde el CEO hasta el conserje, dejan su impronta en ello.

Esa revelación, la idea de que el cambio en las grandes culturas depende de las pequeñas iniciativas que cada uno tome, ha sido de vital importancia para la transformación de la industria de la aviación. Cuando en 1972 murieron las 118 personas que viajaban a bordo de un avión de British European Airways que se estrelló tres minutos después de su despegue, no hubo relevo alguno en la dirección que sirviera por sí mismo para afrontar la magnitud de la tragedia. El desastre resultó más amargo si cabe cuando hubo que reconocer que el accidente se produjo debido a unos problemas que muchas personas conocían de antemano, unas inquietudes que en caso de haber sido articuladas a tiempo habrían evitado muchas muertes. Durante la investigación subsiguiente quedó patente que el miedo a hacerse oír, formular preguntas difíciles o compartir las preocupaciones, había resultado letal. Esas pequeñas barreras que se interponían entre las personas, las funciones que desempeñaban y los territorios en los que operaban amenazaban a la industria de la aviación al completo.

Pero de ese desastre surgió una nueva forma de trabajar en conjunto —generar confianza, compartir informaciones e ideas— que dio lugar a un cambio en la cultura de la aviación civil. Se introdujeron nuevas rutinas que hicieron más fácil expresar las preocupaciones, hacer preguntas, dar la voz de alarma o compartir propuestas. Se produjo una apertura donde antes solo había secretismo. Los errores que solían ocultarse se reconocían ahora como una forma de aprendizaje y eran divulgados ampliamente sin sensación de vergüenza ni culpa. Donde antes reinaba la deferencia se dio cabida a una cooperación vigorosa que fluía por todas partes. Esta nueva forma de trabajar se llamó «cultura justa» e hizo que el modo de transporte menos intuitivo de todos pasara a ser el más seguro.

Actualmente, las culturas justas son imprescindibles en el entorno laboral, no solo para evitar accidentes, sino para extraer de cada uno de los empleados esas grandes ideas, observaciones, inquietudes y conceptos que residen en todas las mentes. No podemos permitirnos que mientras unos avanzan en el escalafón los otros permanezcan en actitud pasiva, desmotivados o desencantados. En los tiempos que corren nuestros desafíos son demasiado grandes, la necesidad apremia y no podemos desperdiciar las ingentes cantidades de talento humano que atesora cualquier organización. Las culturas justas estimulan el ingenio, la iniciativa y la perspicacia genuina de cada uno de los individuos, recompensan la imaginación y celebran la sinceridad del discurso. Reconocen que, a pesar de que el camino al éxito está plagado de errores, es mucho más importante generar confianza y espolear la ambición que recompensar la obediencia. La clave de cualquier cultura de grupo fuerte es la idea de que el liderazgo no se basa en criticar a los mercados, los accionistas, jefes o compañeros, sino en tener la valentía suficiente para hablar en nombre de uno mismo y de los demás.

Dado que las culturas organizacionales no son sistemas lineales, no pueden depender de un grupito de superestrellas de relumbrón, sino que su energía procede de la inteligencia colectiva que se extiende a través de cada uno de los empleados, filiales, socios y clientes. En esto se comportan de manera inherentemente democrática, exigiendo una actitud generosa y humilde. La información no se acapara como algo valioso de lo cual no queremos desprendernos, sino que la inspiración y perspectiva que proporcionan invitan a que se comparta y divulgue. Si tuviéramos que destacar un solo indicativo para diagnosticar la salud de un entorno laboral, este sería la calidad de las interconexiones por la cual las ideas fluyen con más facilidad. En las culturas justas todos los individuos aportan algo. En palabras de Randy Papadellis, CEO de Ocean Spray: si no ganamos todos, no gana nadie.

Parece una perogrullada, y debería serlo. Pero tras haber dirigido diferentes compañías en Estados Unidos y el Reino Unido me quedo patidifusa al comprobar el grado de pasividad que existe en las empresas de todo el mundo. Los CEO con los que trabajo están frustrados por la falta de energía e ingenio que ven en sus trabajadores. A la vez que los empleados se sienten igual de frustrados por las normas y rutinas que reprimen sus iniciativas y constriñen su pensamiento. Creer que se supone que tienen que saberlo todo paraliza a muchos líderes a quienes asesoro, y advierto que sus seguidores permanecen en silencio, pero ansiosos por aportar más. Todo el mundo se queja de la compartimentalización, como si los últimos siete años de eficiencia austera hubieran servido para colocar más barreras entre las personas en lugar de para fortalecer los vínculos.

He perdido la cuenta del número de emprendedores a los que he entrevistado que tenían una idea que resultó ser genial, pero temían compartirla por miedo a hacer el ridículo, extralimitarse, saltarse la estrategia, parecer demasiado entusiasmados, insistentes o alocados. La pasividad, expresada a través del silencio, no solo se cobra su precio cuando alguien se siente incapaz de advertir a otros de los problemas, sino también cuando no son capaces de estimular y desarrollar nuevas ideas. El silencio es ese espacio donde desaparecen las oportunidades, tanto de rectificar como de innovar.

En todos los países que visito insisten en que esta adversidad es algo endémico. En Hungría culpan a su propia historia del miedo a hablar. En Singapur lo atribuyen a no querer quedar mal con nadie. En Latinoamérica el culpable es el orgullo. Los holandeses lo achacan al recato calvinista, en tanto que los británicos se quejan de su natural reservado y los estadounidenses se describen a sí mismos como conformistas. Gracias a esto y a mis experiencias en muchos otros lugares, he llegado a la conclusión de que el deseo de agradar y la aversión al conflicto que consumen nuestras energías, iniciativa y valentía son universales.

Cuando hablo personalmente con alguien a este respecto siempre obtengo la misma respuesta: es una cuestión cultural. La cultura se ha convertido en una coartada, en el chivo expiatorio al que culpar de todo lo que sale mal. Pero ¿quién puede arreglar esto? Todos, básicamente. Por eso este libro está dedicado a todo aquel, desde el CEO al conserje, que quiera mejorar su lugar de trabajo, e indaga en ese cúmulo de pequeños pensamientos y costumbres del día a día que generan y sostienen la cultura organizacional: nuestra forma de hablar, de escuchar, de discutir, pensar, ver. No se trata de programas multimillonarios que vayan a eternizarse en el tiempo, sino de pequeños pasos que cualquier persona puede dar en cuanto se lo proponga, esos pequeños pasos que marcan el inicio de un gran cambio.

Lo que este libro no os ofrecerá es una simple receta para transformarlo todo de la noche a la mañana, ni el dispensario de trucos y consejos que tanto gusta a los motivadores y animadores profesionales de las empresas. En lugar de eso, encontraréis bastante información sobre el acto de pensar, un concepto algo prosaico y poco sofisticado que se olvida fácilmente y suele infravalorarse por norma. Sin embargo, cuando pensamos, tenemos que dejar lo que estamos haciendo. Nuestra mente escapará a los clichés, la incongruencia y la crítica fácil. Es entonces cuando sabemos en qué creemos, quiénes somos y qué necesitamos decir. Cuando nos paramos a pensar redescubrimos lo que el trabajo nos reporta: valor, ingenio, compasión, imaginación, gozo, frustración, revelaciones, dedicación... En suma, todo aquello que cuenta, más allá de lo medible.

1 Conflictos creativos

Imaginaos una sala en la que se reúnen veintiún ejecutivos de éxito que trabajan para una marca de lujo de nivel mundial. Todos van bien vestidos, están bien pagados, tienen buenos modales y viven bien. Pero ese es el problema. Son tan perfectos, que no pueden conectar entre ellos. De modo que, aunque aparentemente todo parece ir bien, en realidad no pasa absolutamente nada. El silencio no es oro, sino la represión del conflicto.

La compañía a la que me refiero vivía inmersa en el lujo, pero aquella escena carecía absolutamente de encanto. La mayoría de los individuos —desde los CEO a los conserjes— preferían evitar los conflictos a enfrentarse a ellos. Tenemos miedo de nuestras propias emociones y más aún de las de los demás. Así que desarrollamos hábitos y poses para asegurarnos de que no haya discusiones. Los psicólogos lo llaman «enmascarar», algo que en realidad significa que cuando acudimos al trabajo oscurecemos los aspectos distintivos de nuestras personalidades, valores y pasiones. Sin embargo, al dedicar tanta energía a evitar la confrontación impedimos el progreso de las ideas. Nos quedamos completamente estancados. Pero las culturas organizacionales justas tienen como objetivo específico asegurarse de que los conflictos e ideas afloren para que queden expuestos, y se exploren y afronten sin temor alguno.

Scilla Elworthy es capaz de advertir instantáneamente las señales de los conflictos ocultos. Nominada tres veces al Premio Nobel de la Paz, ha dedicado gran parte de su vida a desarrollar un diálogo efectivo entre quienes fabrican las armas y aquellos que quieren cerciorarse de que jamás lleguen a ser usadas. Tal vez los ejecutivos de empresas de artículos de lujo no sean sus más fervientes seguidores, pero ella sí tiene mucho que ofrecerles.

«Se trataba de un simple ejercicio de veinte minutos —me dijo—. Tenían que trabajar por parejas y sentarse uno frente a otro en un lugar donde nadie les molestara. El primero de ellos tenía que hacer una pregunta personal —algo parecido a «cuéntame cómo eres realmente» o «cuál es el mayor de tus anhelos»—. Durante los siguientes cinco minutos, su compañero debía poner todos sus sentidos en la pregunta, pensar en ella con el cuerpo, con el corazón y con la mente, e informar absolutamente de todo aquello que sintiera. Ambos debían permanecer mirándose a los ojos durante ese período de tiempo. El oyente tenía que mostrarse impasible, sin sonreír, sin fruncir el ceño, sin mostrar expresión alguna que pudiera estimular una respuesta. Después intercambiaban sus papeles. Y repetían el proceso».

Lo que Elworthy describió era un ejercicio simple, pero nada trivial, ya que exigía un gran esfuerzo de concentración y sinceridad. Este intercambio facilitó la eliminación de los residuos que suelen enturbiar el diálogo en el trabajo diario. Las formalidades y recelos dejaron de interponerse entre ellos. En lugar de esto, habían experimentado algo de incalculable valor en una jornada laboral: expresar honestamente lo que creían y sentían, y que alguien los escuchara.

«Nosotros no lo llamamos resolución de conflictos, sino transformación de conflictos. Siempre hay algún tesoro oculto bajo la pata del dragón, siempre podemos aprender algo de las confrontaciones. De modo que tenemos que saber darle nombre a lo que sucede y después hablar de ello sin que estalle el polvorín».

La experiencia resultó tan provechosa que cada vez que la empresa se queda estancada vuelven a recurrir al método de Elworthy. Paran todo lo que están haciendo, se sientan y reconectan. Las preguntas pueden ser cada vez más comprometedoras. ¿Qué es lo que más te gusta? ¿Cuáles son tus miedos? ¿Cuál es la mayor de tus aspiraciones?

«Tenía un efecto tan potente que nos ayudaba a objetivar nuestras preocupaciones», recordaba uno de los participantes. «Nos hizo comportarnos con más naturalidad. Quince minutos de ese ejercicio valen más que cuatro horas de discusiones».

El objetivo de una cultura organizacional justa es hacer brotar la información, inteligencia y perspicacia necesarias para tomar las mejores decisiones. Esto conlleva una división por grupos, porque cuando se trabaja bien en equipo nace ese tipo de conflictos constructivos del que surgen las mejores ideas, que se nutren de los enfrentamientos entre las diferentes disciplinas y la fricción entre mentes diametralmente opuestas. Sin embargo, la mayoría de personas a las que preguntes afirmarán que temen los conflictos y muy pocos responderán que les gustan. A los líderes tampoco les resulta fácil y el 42 por ciento de los CEO reconocen que es el área en la que se sienten menos seguros. No obstante, con el enfoque adecuado, puede conducirnos perfectamente a eso que Scilla Elworthy llama transformación de conflictos, un proceso positivo a través del cual crecen todos los implicados.

Lo diferente marca la diferencia

El verdadero conflicto creativo requiere una compleja variedad de personalidades, experiencias, formas de pensamiento y actitudes. Pero hay motivos de peso por los que esta circunstancia no suele darse. Estamos mediatizados por nuestras preferencias. El cerebro alcanza su máxima efectividad gracias al proceso de correspondencia. Cuando advierto algo que se asemeja a mi experiencia pasada, decido confiar en ello de antemano, dando por sentado que, como lo he vivido, puedo saltarme el agotador proceso de aprender información nueva. Pero esto tiene su con-

SIEMPRE HAY ALGÚN TESORO OCULTO BAJ
LA PATA DEL DRAGÓN, SIEMPRE PODEMOS
APRENDER COSAS DE LOS CONFLICTOS.

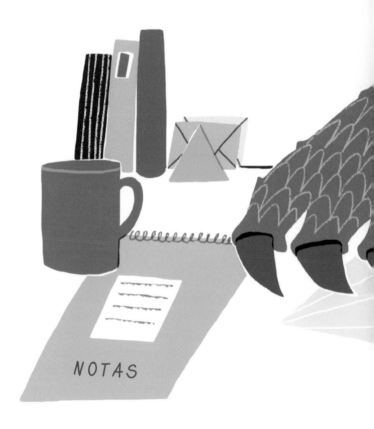

NOTAS

trapartida. Lo que me resulta más familiar es mi propia persona. La cara que veo cada día en el espejo y la voz que escucho todo el tiempo son las mías. De modo que mi cerebro prefiere a gente como yo, con la que se siente más cómodo y en la que confía más. Esa es la razón por la que las estadísticas dicen que solemos elegir como compañeros de vida a personas que son de nuestra misma altura, peso, edad, educación, inteligencia, nacionalidad y etnia. Y por ese motivo durante mis años mozos, en mi ambiciosa carrera como productora de televisión, cuando tenía el cometido de encontrar al mejor equipo de trabajo que pudiera encontrar, acababa contratando a mujeres licenciadas en humanidades que hablaran varias lenguas europeas, midieran menos de un metro setenta y cumplieran años en junio. A mi propia imagen y semejanza. Los buenos equipos necesitan ventanas al mundo, pero nuestras inclinaciones personales hacen que solo consigamos espejos.

No cabe duda de que esto es lo que ha motivado los programas de diversidad durante las últimas décadas. Cuando los equipos se componen de hombres y mujeres mejoran sus prestaciones. Los canales de informativos más eficaces son los que cuentan con una gama más amplia de personal con experiencias y especialidades diversas. Y la mayoría de empresas quieren ser el reflejo de los mercados para los que trabajan. Pero si las preferencias van en nuestra contra, ¿cómo podemos crear y tolerar esa diversidad que convierte el conflicto en un proceso creativo?

Ted Childs tenía la clave. Lo conocí en una conferencia sobre diversidad en Londres, en la sede de IBM. Siempre eran mujeres las que solían encargarse de este tipo de actos, así que me sorprendió la presencia de un afro-americano. Pero en cuanto tomó la palabra supe por qué se encontraba allí.

Childs habló sobre la mediatización como una experiencia insidiosa e invisible de la que nadie es consciente y que se muestra ciega ante el talento original. Describió las batallas que había librado dentro de IBM para implementar políticas que consiguieran atraer a mujeres competentes que no se marcharan cuando tuvieran hijos, sino que recibieran el apoyo e impulso necesarios para la consecución de sus objetivos profesionales. Childs hablaba con mayor autoridad sobre el tema de la igualdad de géneros que ninguna otra persona que yo hubiera oído antes. Años después le pregunté cómo había alcanzado tantos logros. ¿Se debía a que no pertenecía al género femenino?

«Totalmente —respondió con vehemencia—. Luchar por un grupo de personas al que no perteneces cambia la perspectiva por completo. Cuando me ofrecieron el puesto en el departamento de diversidad de IBM no pensé en ningún momento en focalizar mi trabajo en la raza negra. Mi objetivo eran las mujeres, los homosexuales y los discapacitados. Eso me ofrecía mayores posibilidades de desarmar a los demás y hacer que mi posición intelectual resultara creíble».

Childs articuló con palabras lo que yo había sentido aquella noche en Londres: la indiscutible autoridad moral de quien lucha de manera abnegada. Actuar en tu propio beneficio siempre supondrá una rémora para que surja un debate verdaderamente creativo, pero hacerlo de forma desinteresada te otorga poder.

El conflicto creativo requiere práctica

Cuando hay demasiada homogeneidad resulta imposible que el conflicto sea enriquecedor. Y con el miedo ocurre lo mismo.

Prácticamente nadie recibe una educación para enfrentarse a la ambigüedad e incertidumbre que se generan cuando los debates se calientan. Pero esto puede aprenderse.

«Practicamos para asistir a audiciones, para los exámenes, para mejorar nuestras condiciones como tenista —me dijo Brooke Deterline—. ¿Por qué no practicar los diferentes tipos de discusiones y conflictos que pueden surgir en el trabajo?».

Deterline trabaja con empresas para promover lo que ella llama el «liderazgo atrevido», que consiste en enseñar a todos los individuos que trabajan en una organización a ser capaces de nombrar con calma y claridad los problemas, preocupaciones e ideas que tienen en el trabajo. Podría decirse que su misión es reducir al mínimo el silencio organizacional por medio de enseñar a las personas a identificar los momentos en los que quieren tomar la palabra y exponer una idea o refutar un argumento.

«Uno de los primeros programas que llevamos a cabo fue en Google —me dijo Deterline—. La máxima de la compañía es: "No hagas mal a nadie". Pero lo que resulta más difícil es conferirle a alguien el poder para hacer el bien a los demás. La mayoría de los trabajadores no son conscientes de cómo hacer esto ni se sienten capacitados para hacerlo. De modo que tienen que aprender y practicarlo».

Hace ya una década, Google, consciente de que la protección de datos se convertiría en un tema controvertido, creó un grupo de «Liberación» que se esfuerza por proteger la información personal. La función principal de este grupo de liberación de datos es evitar que los equipos que trabajan en la empresa lleguen siquiera a imaginar que pueden retener información alguna. Tienen la tarea específica de generar debate, ya que de ese modo los equipos con los que trabajan mantienen una actitud honesta.

El conflicto adopta formas muy variadas en cada empresa. A veces se manifiesta como un ritual de formalidad similar a aquellos a los que se enfrentaba Elworthy en las compañías de artículos de lujo. A menudo reside en un silencio que representa el miedo a traspasar los límites, ya sea para dar buenas noticias o malas. Y en muchas empresas se concentra en asuntos triviales como la comida o el aparcamiento, que desplazan las discusiones creativas fundamentales que nadie se atreve a iniciar.

Todos estos condicionantes claman por personas que tengan el valor, la capacidad y la honradez para que los conflictos creativos se enfoquen en los temas que realmente importan. Libros como *Dar voz a los valore*s, de Mary Gentile, *Obtenga el Sí*, de Roger Fisher y William Ury, y *Conversaciones cruciales*, de Kerry Patterson, demuestran que, independientemente de lo abierta que quiera ser una persona, siempre experimentará verdaderas dificultades a la hora de llevarlo a cabo. Todo cuanto tenemos es nuestra voz... y el tiempo que tardamos en aprender a usarla.

Luke, uno de los participantes del programa de Deterline, tenía que plantarle cara a un combativo CEO convencido de que la única forma de negociar un contrato era a través de la intimidación y la fuerza bruta, algo que iba en contra de todos sus principios. Así que se basó en el sencillo precepto de Deterline: empleó un tiempo en pensar en el conflicto, lo consultó con sus compañeros y practicó la forma en que quería abordarlo.

«Me sentía verdaderamente presionado para actuar en contra de lo que me parecía la manera correcta de proceder —recordó Luke—. Antes habría intentado evitar la confrontación a toda costa. Pero en esta ocasión, como habíamos practicado este tipo de conflictos, actué según mis principios y obtuve la autonomía necesaria para continuar con la negociación como me parecía más conveniente. En lugar de perder de vista mis valores y ceder a la presión del presidente, le planté cara, cumplí con la fecha límite impuesta y superé los objetivos económicos del proyecto trabajando a mi manera».

Reconocer que sus principios estaban en juego fue un primer paso decisivo. Es algo que no resulta fácil advertir cuando se está cansado, distraído u obsesionado con la fecha o los objetivos impuestos. Varios estudios demuestran que no solemos percatarnos siquiera del dilema moral, y para cuando lo hacemos ya es demasiado tarde. Pero Luke descubrió que al identificar el momento en el que sintió la tentación de guardar silencio se vio obligado a detenerse a pensar en las opciones que tenía. Y a través del asesoramiento, los aliados y el ensayo de su discurso, obtuvo la confianza necesaria para hacerse valer.

Siempre que hablo con alguien que se ha resistido al impulso de evitar una discusión oigo la misma historia: «El sistema es mucho más flexible de lo que imaginaba. A partir de ahora actuaré siempre de esta forma». Llegan a comprender que al exponer tus valores, convicciones e ideas enriqueces tu trabajo y lo que podría ser una confrontación estéril y tediosa se transforma en un conflicto verdaderamente creativo. O, tal como lo expresó cierto ejecutivo: «Comencé a ver toda mi vida profesional como un experimento, tanto que empecé a recibir con agrado las situaciones comprometidas y de hecho las buscaba, no solo por mi crecimiento personal, sino también por el de los demás y por la salud general de la organización que dirigía».

Diferencias cruciales

La filósofa alemana Hannah Arendt definía el pensamiento como tener una conversación con uno mismo. Pero para que piense una organización, esta conversación tiene que suceder entre compañeros de trabajo. Hay que poner a prueba las observaciones, tensar y comprometer las ideas, los datos, sus interpretaciones. Para que el diálogo resultante sea enriquecedor es necesario obtener información y buenas preguntas.

La información exige diferenciarse. Si todos aportan el mismo conocimiento ¿para qué quieres a cinco personas en la habitación, cuando podrías pasar con una? La unanimidad es siempre signo de que la participación no es completamente sincera. En lugar de confirmar los condicionamientos y convicciones de cada cual, ¿por qué no aportar datos, historias y experiencias que enriquezcan y expandan los horizontes? Los mejores aliados a la hora de pensar no son meros reflejos de tu persona, sino que aportan un nivel mental alto, un punto de vista diferente, y objeciones. Hazte esta pregunta: ¿qué tengo yo que nadie más pueda ofrecer? Para eso es para lo que te han llevado allí.

Herb Meyer trabajó como ayudante especial del director de la CIA y vicepresidente del Consejo de Inteligencia Nacional del mismo organismo y era responsable de las Estimaciones de Inteligencia Nacional de los Estados Unidos. Pero los datos que recibía cada vez resultaban más inquietantes. Como en la mayoría de las organizaciones, todas las informaciones confirmaban la opinión imperante: la guerra fría continuaba en su punto álgido y la URSS era tan poderosa como siempre. La falta de datos que desmintieran esto sorprendía y preocupaba a Meyer. ¿En qué podrían concentrarse los servicios de inteligencia para intentar demostrar que el juicio imperante estaba equivocado?

La pregunta que se hizo Meyer me parece una de las mejores que he encontrado para agitar y enriquecer la investigación que debería subyacer en el núcleo de la toma de cualquier decisión crítica. ¿Cuáles podrían ser los indicadores de que estamos equivocados? Meyer recopiló una lista con todo lo que podría suceder en caso de que la Unión Soviética se derrumbara y lo envió a las redes de espionaje. Se trataba de un experimento de bajo coste. Si no apreciaban nada, la realidad imperante prevalecería. Pero una de las primeras informaciones que recibió fue que un tren con un cargamento semanal de carne había sido secuestrado y expoliado. Habían llamado al ejército, pero después el Politburo dio órdenes de que se retirasen y no contaran lo sucedido a nadie.

«Bueno, cuando la economía va perfectamente esto no sucede, ¿no? —se preguntó Meyer— La gente no va por ahí robando carne y tampoco se impide que el ejército le ponga remedio. De modo que aquello nos comunicó algo. Y a partir de entonces llegaron más noticias del mismo cariz».

Meyer es reconocido por ser una de las primeras personas del mundo que previó el derrumbe de la Unión Soviética, no porque tuviera una intuición, sino por actuar conforme a ella, buscar datos que desmintieran la información y tener el valor e ingenio de hacerse una pregunta genial: ¿Qué esperaríamos encontrar si estuviéramos equivocados? No ocultó su preocupación sin más. Hizo todo lo posible por conseguir los datos y los aliados que necesitaba para replantear la conversación y cambiarla. Conflicto en su máxima expresión.

Mejores preguntas, mejores decisiones

Las preguntas son el cuerpo y alma del conflicto constructivo. Abren el camino de la exploración, aportan nueva información y rearman el debate. Cuando asistía a la London Bussiness School, recopilé un libro de preguntas porque me di cuenta de que aunque los análisis de casos se quedaran anticuados rápidamente, las preguntas eran perennes y podían convertirse en hábitos mentales:

- ¿Quién tiene que beneficiarse de nuestra decisión? ¿Cómo?
- ¿Qué más deberíamos saber para tomar esta decisión con mayor confianza?
- ¿A qué personas afecta esta decisión? ¿Quién tiene menos poder para influir en ella?
- ¿Hasta qué punto tenemos que tomar esta decisión hoy?
- ¿Por qué es importante? ¿Y qué hay de importante en eso?
- ¿Qué haríamos si tuviéramos recursos ilimitados en cuanto a tiempo, dinero y personal? ¿Qué haríamos si careciéramos de ellos?
- ¿Cuáles son todos las razones por las que esa decisión es la correcta? ¿Cuáles son todos los motivos por los que la decisión es incorrecta?

El debate enriquecedor y la discusión son actividades críticas dentro de cualquier organismo porque, cuando se formulan bien, afloran las dudas y miedos y también revelan ideas. Nos ayudan a ver lo que estamos dispuestos a ignorar, desafiándonos a que pensemos por nosotros mismos, a que pensemos mejor y lo hagamos de manera diferente. Y esto resulta crucial en todos los niveles de una organización. Donna Hamlin enseña a los directivos a asegurarse de que se formulan los debates correctos. Su regla de oro es realizar tres preguntas por cada afirmación. Así se mantiene abierta la conversación.

Cuando haya que tomar una decisión crucial nombrad a un abogado del diablo, alguien cuya tarea concreta sea refutar las teorías, discutir desde posiciones opuestas y que surjan los datos o argumentos que se banalizan, minimizan o marginan. Nadie debería permanecer estancado en ese papel, ya que al cabo de un tiempo incluso el abogado más acérrimo empezará a desatinar. No obstante, la rotación de este papel presenta una fantástica oportunidad para el conflicto crítico constructivo, una experiencia que todos necesitamos para refrescar nuestra manera de pensar.

El presidente de Pixar, Ed Catmull, describe las feroces reuniones Braintrust que acompañan al desarrollo de cada una de sus películas. Los debates son intensos, las discusiones acaloradas, y lo que hace que resuelvan los problemas de manera excelente es su imparcialidad. Nadie desperdicia el tiempo haciendo puntos con sus comentarios. En lugar de eso, todos ofrecen sus mejores sugerencias a los directores, los cuales —y esto es determinante— no tienen ninguna obligación de aceptarlas. Algunas compañías aéreas colocan a los directores de seguridad de la competencia en su junta de directivos, advirtiendo que el enfrentamiento entre pares es la mejor forma de ganar confianza respecto a los temas importantes. Ambas son formas de colaboración en las cuales la experiencia, la formulación de preguntas, la atención y la confianza a largo plazo, se combinan para que los problemas y las ideas originales afloren a la superficie.

Sacar el máximo partido a los errores

Las culturas organizacionales justas requieren que todos aporten sus ideas, experiencia, atención, preguntas y argumentos para forjar las mejores iniciativas y sistemas posibles. Estos no serán perfectos, siempre se cometerán errores en el camino. Pero cuando existe un miedo cerval al error, nadie es capaz de hablar y pensar con libertad. Así pues, para la idea de una cultura justa es vital creer que los errores, siempre que sean bienintencionados, no son motivo de vergüenza, sino de aprendizaje.

En el Hospital General de Massachussets el cirujano ortopédico David Ring llevó a cabo una operación de túnel carpiano en un paciente aquejado de dedo en resorte. No se percató de su error hasta el momento de escribir el informe, cuando se dispuso a repararlo rápidamente. Pero no se contentó con eso. Él mismo realizó una investigación a fondo para determinar cómo había llegado a cometer tal error. Y después, dio un paso más allá. Publicó sus averiguaciones en el *New England Journal of Medicine* y acaparó los titulares de las revistas especializadas.

Desde entonces, Ring se ha convertido en un verdadero adalid de la seguridad del paciente y la importancia crucial de compartir los errores. «Si uno no puede hablar de los errores, no aprende nada —me dijo—. Como mucho, puedes convencerte de que eres perfecto, y eso es peligroso. Si tú admites tus errores, los otros también podrán hacerlo. Y así es como se aprende. Así es como aprende todo el personal de una organización».

En los viñedos de las bodegas Torres hay un gran libro negro. No se trata de una lista formada por antiguos empleados caídos en desgracia ni proveedores que no cumplieron las expectativas. Siempre que se produce un error, la persona que lo comete lo apunta allí. Una de las entradas era del director financiero, reconociendo que había cometido un error de 200.000 dólares en una operación de cobertura de divisas. Pero el valor de este libro no se queda en apuntar los fallos. Todo empleado que se una a la empresa tiene que leerlo. Así que este simple libro comparte el aprendizaje derivado de los errores para que no se repitan y además envía este poderoso mensaje: todos cometemos errores. El poder y el estatus no confieren infalibilidad alguna. Los errores son las estaciones de paso en el camino del progreso.

Toda decisión es una hipótesis. Tomamos una decisión de acuerdo a la información de la que disponemos y en el futuro esta puede depararnos los resultados esperados, o no. Cuando las cosas salen como preveíamos, sentimos reafirmada nuestra inteligencia. Cuando esto no sucede, lo llamamos error. Pero en realidad lo que pasa es que la hipótesis no ha quedado demostrada. Cuando somos capaces de apreciarlo como una información adicional, en lugar de como un simple error, transformamos el debate en exploración y la discusión en forma de pensamiento. Ser capaces de afirmar «me equivoqué en mis previsiones» nos quita la presión de tener que ser perfectos.

La mayoría de organizaciones se llenan la boca hablando de la importancia de los errores, pero muy pocos trabajadores se sienten seguros hablando de ellos. En un estudio reciente el 88 por ciento de los encuestados contestó que solamente se referían a los errores en privado. Solo el 4 por ciento de ellos estaban dispuestos a hacerlo abiertamente en público. Pero la correlación que existe en el campo de la medicina entre la comunicación pública de los errores y la protección de los pacientes nos ofrece un argumento convincente para afirmar que gracias a ello los sistemas mejoran en inteligencia y seguridad. ¿Con cuánta frecuencia y facilidad reconoces que has cometido un error? Hacerlo permite que los demás también lo hagan. Exactamente igual que en la aviación, los procedimientos de gran complejidad se fortalecen solo cuando todos velan por ellos, aceptan su responsabilidad y se preocupan.

El conflicto constructivo no es un club de la lucha, ni tampoco un club social. Ed Catmull dice que al principio todas las películas de Pixar son mediocres. Lo misma pasa con las ideas, dudas y preocupaciones. Siempre se empieza con un molde tosco, impreciso y fuera de lugar. El primer atisbo de una idea o una observación es como el polvo de oro, aunque todos lo alaben, muy pocos son capaces de encontrarlo y a simple vista no parece demasiado valioso. Nos reunimos en grupos y equipos para refinarlo, remodelarlo y pulirlo. Las discusiones resultantes son la prueba de que nos preocupamos por ello. Solo a través de ese conflicto comienza a emerger el verdadero lustre.

2 Capital social

Cuando dirigía cierta empresa de software en Boston me percaté —y la junta de directivos me informó de ello— de que necesitábamos reposicionar el negocio. Nuestro producto era demasiado insulso y genérico y no suscitaba el entusiasmo ni la fidelidad requerida. Necesitaba formar un equipo que me ayudara a hacerlo y acabé encargándome del problema junto a un grupo bastante variopinto: un diseñador de páginas web, un ejecutivo de medios de comunicación, un artista visual y yo misma. Permanecimos una semana instalados en la sala de eventos de una hamburguesería explorando opciones, rechazando las respuestas fáciles, espoleándonos unos a otros para encontrar algo que ninguno de nosotros fuera capaz de ver. Cuando miro atrás, recuerdo aquel intenso período como una de las experiencias de aprendizaje más estimulantes que haya tenido nunca. Aquel equipo era extraordinario y exitoso, pero ¿a qué se debía? ¿Cómo conseguía trabajar tan bien en equipo ese conjunto de personas tan ecléctico? ¿Por qué resultaba tan productiva nuestra experiencia de conflicto creativo?

Se podría argumentar que en aquella sala había mucho talento, y es cierto. Pero también teníamos algo más importante. Había una relación de cooperación entre nosotros, confianza, conocimiento, reciprocidad y normas conjuntas que generan calidad de vida y dan ductilidad al grupo. Cualquier empresa puede contar con un puñado de individuos con talento, pero lo que los lleva a compartir sus ideas y preocupaciones, a contribuir al pensamiento de uno y otro y advertir al grupo con premura de los riesgos latentes, es la conexión que existe entre ellos. En la base de cualquier cultura organizacional justa existe un «capital social». En esto precisamente se basan, y esto es lo que generan.

En su fascinante estudio sobre inteligencia colectiva, Thomas Malone y un grupo de investigadores del MIT analizaron a equipos de trabajo que demostraban una eficacia excepcional a la hora de solucionar problemas creativos. Su objetivo era identificar los rasgos específicos por los que unos equipos destacaban sobre los demás. Descubrieron que lo que marcaba la diferencia no eran los coeficientes de inteligencia individual. Tener un alto nivel intelectual en general o un par de superestrellas aisladas carecía de importancia. Los grupos que conseguían mejores soluciones y en mayor número compartían tres cualidades clave. Primero, se otorgaban entre ellos prácticamente el mismo tiempo para hablar. Aunque no estaba supervisado ni regulado por nadie, ningún individuo de estos grupos de alto rendimiento dominaba ni era un mero espectador. Todos contribuían al grupo y nada caía en saco roto.

La segunda cualidad de estos grupos exitosos era su sensibilidad social. Se adaptaban mejor a los cambios sutiles de humor y comportamiento que se producían entre ellos. Sacaban puntuaciones más altas en un test llamado «Leer la mente a través de los ojos», que suele considerarse un índice para medir la empatía. Poseían una conciencia social de lo que necesitaban unos y otros. Y el tercer rasgo distintivo era que en los mejores grupos había más mujeres, tal vez por la diversidad que aportaban, o quizás porque las mujeres suelen sacar mejores puntuaciones en las pruebas de empatía. Lo que esta investigación resalta, aparte de muchas otras cosas, es la importancia que tiene la conectividad social.

Cuando leo este estudio reconozco a mi viejo equipo. Todos contábamos con la inteligencia necesaria y con una variada riqueza de experiencias, pero ninguno estaba por encima de nadie, lo cual avivaba nuestra curiosidad por lo que el otro tenía que ofrecer. Sabíamos que necesitábamos una respuesta, pero también que ninguno de nosotros contaba con ella. Teníamos que trabajar unidos para idear algo que no podíamos conseguir individualmente. Caíamos presa de la frustración, la irritación y la impaciencia por momentos. Pero nadie tenía ningún plan oculto. Nuestro éxito conjunto era todo por cuanto suspirábamos. Todo esto fue fruto de la suerte, pero ¿es posible hacer algo más que esperar a la fortuna?

Enseñar empatía

Cuando describí la investigación de Malone en una conferencia a la que asistían quinientos líderes empresariales, uno de ellos me preguntó si era posible enseñar a alguien a ser empático. ¿Era preciso contratar personas con esa capacidad específica o podía desarrollarse en los propios equipos y empresas? A primera vista se diría que resulta fundamental contratar a personas con empatía, la capacidad genuina para apreciar el mundo a través de los ojos de los demás. La visión de tus clientes y compañeros no será siempre la misma que la tuya y compartir el punto de vista de los demás es lo que nos hace aprender. Pero nadie entra a formar parte de la plantilla con una formación completa y las habilidades primordiales siempre hay que desarrollarlas.

Eso de enseñar empatía me recordó a Carol Vallone. Ha estado al frente de tres empresas exitosas, pero cuando yo la conocí dirigía WebCT. Esta empresa era el resultado de una fusión entre su negocio, una compañía con sede en Boston y financiada con capital riesgo que se llamaba originalmente Universal Learning Technology, y una organización sin ánimo de lucro canadiense. Las diferencias culturales hicieron que Vallone se enfrentara al reto de transformar un grupo de personas dispar en un equipo funcional en el que la empatía y el respeto no estaban garantizados.

Cuando llegó el momento de realizar los presupuestos anuales de la empresa cada jefe de departamento calculó su parte correspondiente, pero después tenía que explicarlo a uno de sus compañeros de manera convincente para que este pudiera defenderlo en la reunión de jefes de equipo.

Por ejemplo, el director de tecnología podía discutir el presupuesto de marketing, el jefe de ventas hablar por el de operaciones y atención al cliente explicaba las necesidades del departamento de tecnología. El impacto de este sencillo ejercicio fue profundo. Todos ellos tuvieron que ver la compañía a través de los ojos de otro. Sentían la obligación de hacerlo lo mejor posible, aunque solo fuera para asegurarse de que su homólogo correspondía a este esfuerzo. Estaban obligados a escucharse y no solo a esperar su turno. En efecto, Vallone estaba enseñándoles empatía. Cada uno de los ejecutivos debía ver la compañía desde la perspectiva de sus compañeros y apreciar las trascendentales conexiones y dependencias que había entre ellos.

Conozco casos de organizaciones a gran escala en los que seleccionaban a parejas de individuos para solucionar sus problemas de este modo. Un jefe de departamento cuestionaba a un jefe de una división regional y después intercambiaban sus papeles. De esta forma aprenden las exigencias y contingencias de ambas posiciones, empiezan a apreciar temas comunes, así como formas de ayudar y apoyarse mutuamente. Los niveles de empatía crecen. Muchas personas rehuyen el conflicto porque temen que ponga en peligro sus relaciones, pero por paradójico que parezca, el duro trabajo en común realizado en un conflicto sincero hace que aumente la conectividad social. Cuando evitamos el conflicto no sucede nada. Nuestra capacidad de apreciar las perspectivas del otro solo se ve realizada cuando ambas partes se comprometen al debate.

Ladrillos y mortero

La fortaleza de un edificio reside en el mortero, no solo en los ladrillos. En nuestro contexto, el mortero se corresponde con el «capital social», la dependencia mutua, ese sentimiento de conectividad de base que genera confianza. La idea del capital social procede del estudio de las comunida-

des y aquello que las hace sobrevivir y florecer en tiempos de estrés. Pero toma mayor relevancia cuando lo aplicamos a las organizaciones, continuamente sumidas en el cambio, la sorpresa y la ambigüedad. En el trabajo, no menos que en las comunidades, la conectividad social juega un papel crucial a la hora de hacer que los individuos y las compañías tengan una mayor ductilidad y mejoren su capacidad para afrontar los conflictos.

Al explorar y reconocer la interdependencia entre los jefes de departamento, el ejercicio de presupuestos de Vallone generó los vínculos necesarios para animarlos a trabajar juntos en busca de mejores ideas y decisiones. Cuando los niveles de capital social son altos se genera un tipo de confianza en la que el conflicto es seguro, más vigoroso y abierto. Observamos aquí un círculo virtuoso: un conflicto creativo que si se lleva a buen puerto genera un capital social que a su vez transforma el enfrentamiento en algo seguro y constructivo. Por el contrario, cuando hay ausencia de capital social es imposible hablar y pensar abiertamente, lo cual significa que las personas no llegan a desarrollar la conectividad social que necesitan entre ellos.

Generar relaciones de cooperación parece una idea abstracta, pero no es más que un cúmulo de pequeñas acciones. Cuando hablo acerca de esto con líderes empresariales muchos de ellos repasan esas pequeñas iniciativas que han transformado radicalmente sus organizaciones. Uno de ellos me informó de la compartimentalización de su negocio. A las divisiones regionales y los departamentos técnicos les resultaba difícil confiar unos en otros. De modo que pidió a cada empleado que realizara un cortometraje acerca de uno de sus compañeros. No esperaba que nadie invirtiera mucho esfuerzo en este proyecto, pero se tomó la molestia de reunir a toda la empresa en un cine para ver sus trabajos. El resultado lo dejó atónito. Crearon películas de una pasión, creatividad y humor inmensos que deleitaron, motivaron e inspiraron a toda la empresa.

«En aquel momento no me percaté, pero supongo que lo que hacíamos era generar capital social», me dijo. Gracias a la elaboración de esas películas y a ser protagonistas de ellas los diferentes equipos llegaron a conocerse y apreciarse más mutuamente. Al ponerle nombre a aquella actividad el CEO advirtió lo importante que era para su negocio que las personas invirtieran tiempo en el grupo.

Ahora hay empresas que prohíben beber café en los escritorios, pero no para proteger los ordenadores, sino para asegurarse de que sus empleados comparten algún momento junto a la máquina de café. ASE Global no permite que sus empleados almuercen en el escritorio. En parte lo hacen para asegurarse de que todos se toman un descanso. Pero ambas políticas ofrecen la oportunidad de que los empleados se conozcan entre ellos.

«Teníamos un bonito comedor. Pero no bastaba con eso —me dijo el CEO Rob Jones—. Impusimos su uso como norma para que los empleados entendieran el valor que damos a que se valoren unos a otros. Nos parece muy importante para nuestro negocio».

Los suecos tienen un término para denominar el tiempo de descanso común en el trabajo. Lo llaman *fika*. Se trata de un momento en el que todos se reúnen juntos para tomar café y pasteles, se desprenden de las jerarquías y hablan sobre el trabajo y la vida. La palabra *fika* se refiere a algo que va más allá de una simple pausa para el café, porque alberga un sentimiento de unión. El investigador sueco Terry Hartig llama a esto «restauración colectiva», argumentando que la sincronía es lo que otorga al tiempo su valor social y empresarial.

Cuando Alex Pentland estudió los patrones de comunicación de un centro de atención telefónica recomendó que todos los integrantes de un mismo equipo hicieran la pausa a la misma hora. A simple vista esto resultaba insuficiente, pero ofrecer esa única oportunidad de generar capital social hizo que la compañía cosechara un incremento en la productividad de 15 millones de dólares, en tanto que la satisfacción entre empleados aumentó en un 10 por ciento. No está nada mal para tratarse de una simple pausa para el café.

Yo no tenía conocimiento de nada de esto cuando fundé mi primera compañía de software. Habíamos reunido a un buen grupo de jóvenes inteligentes, enérgicos y motivados que trabajábamos a destajo. Pero todos estábamos tan centrados en nuestras tareas y objetivos que apenas quedaba lugar para el intercambio de ideas. Trabajábamos duro, pero lo hacíamos en solitario. Ya durante el primer año sufrimos la amenaza de las disputas territoriales. Los ingenieros pensaban que los de marketing hacían demasiado ruido y el departamento de contabilidad creía que los comerciales salían demasiado caros para ser personas a las que no se les veía el pelo. El trabajo se percibía y ejecutaba como una transacción. No se desarrollaban relaciones interpersonales.

Lo que ideé resulta tan sencillo que casi me da vergüenza ponerlo por escrito. Los viernes por la tarde acabábamos antes, nos reuníamos y atendíamos a varias personas que contaban a toda la empresa quiénes eran y a qué se dedicaban. Algunos usaban PowerPoint, otros lo escenificaban, escribían canciones o contaban historias. Así aprendimos cosas de nuestros compañeros. Uno de los ingenieros había trabajado en uno de los primeros navegadores de Internet, otro empleado de marketing había ideado un famoso eslogan, un diseñador ruso se había arriesgado enormemente para salir de su país de origen. El respeto crecía a ojos vistas. Diez años más tarde llevamos a cabo ese mismo proceso en una empresa completamente diferente y obtuvimos resultados similares. Los ejecutivos empezaron a apreciar su lado más humano y a ganar confianza entre ellos. El trabajo se hacía de manera más directa, abierta e intrépida. El capital social aumenta a medida que se hace uso de él. Cuanta más confianza y reciprocidad muestras, más recibes a cambio.

Las investigaciones del MIT han conseguido cuantificar esto. El equipo de Alex Pentland ha rastreado los patrones de comunicación de diferentes grupos en una amplia gama de organizaciones, desde hospitales y bancos a centros de atención al cliente por teléfono y descubrieron que esos patrones de comportamiento eran tan importantes como el resto de factores en su conjunto (la inteligencia individual, las habilidades, la personalidad, el contenido de los debates). Las relaciones personales marcaban una diferencia significativa en la productividad. No solo las que se producían en las reuniones, sino también las conversaciones casuales y los breves intercambios que se producían en el pasillo o en el dispensador de agua. Y su seguimiento cuantificó lo que todos presentíamos. Lo que tiene mayor influencia en el funcionamiento de una organización son los nodos del sistema, las personas que interactúan más y con el mayor número de gente. Tal vez sus títulos no les confieran poder, pero eso es lo que ostentan. Ellos son los responsables de componer el capital social y acelerar el proceso de cambio.

El tiempo conforma el capital social

El científico Uri Alon es famoso en los círculos académicos por sus descubrimientos, que bordean la frontera entre la física y la biología. Pero es ampliamente aclamado por un ensayo del año 2010 titulado *"How to Build a Motivated Reasearch Group"* (Cómo gestar un grupo de investigación motivado). Los científicos y los emprendedores se parecen mucho en cuanto a que su éxito depende de identificar problemas difíciles y resolverlos, a menudo en una carrera a contrarreloj. Alon sabe que el tiempo es oro, pero aun así dedica la primera media hora de las dos que dura su reunión semanal a temas no científicos para dedicarlo a cumpleaños, noticias o arte. Podría parecer que esto les resta tiempo para la ciencia, pero Alon afirma que la motivación aumenta tanto que a la larga compensa con creces los minutos perdidos. Cuando el grupo se dispone a hablar sobre ciencia asigna un papel diferente a cada miembro (tal como «árbitro imaginario» o «generadores de ideas»), lo cual ayuda a estructurar el conflicto constructivo que tiene lugar en el laboratorio. Todo esto contribuye a crear esa conectividad social en la que se apoyarán todos los investigadores cuando se encuentren ante las complicaciones y la confusión inherentes a los descubrimientos científicos. Alon opina que esos hallazgos solo son posibles gracias al capital social.

Investir en las relaciones entre los miembros de un equipo incrementa la productividad y reduce los riesgos. El Consejo de Seguridad Nacional del Transporte Aéreo de Estados Unidos averiguó que el 73 por ciento de los incidentes sucedían durante el primer día que un grupo empezaba a traba-

BENEFICIOS DE LOS EQUIPOS DURADEROS

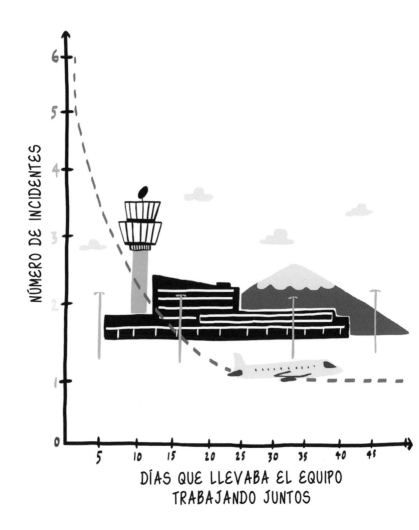

NÚMERO DE INCIDENTES

DÍAS QUE LLEVABA EL EQUIPO
TRABAJANDO JUNTOS

jar como equipo y el 44 por ciento durante el primer vuelo. Por el contrario, los equipos que permanecían juntos durante años ofrecían mejores prestaciones que el resto. El estudio sobre el trabajo en equipo del difunto Richard Hackman demostró que los mejores grupos solían ser los más estables, ya que llevaban mucho tiempo trabajando juntos, conociéndose y confiando unos en otros. Introducir nuevos elementos o extraerlos no mejoraba su creatividad, sino que resultaba perjudicial y peligroso. La novedad suponía un lastre. Intercambiar papeles dentro de un mismo equipo bastaba para implantar cambios, al tiempo que permitía conservar la familiaridad que otorga una larga experiencia de trabajo conjunto. Hackman concluía que incluso en el departamento de investigación y desarrollo, donde siempre se necesita talento nuevo para refrescar las ideas y el conocimiento, resultaba suficiente con incluir a una persona nueva cada tres o cuatro años.

Sin unos niveles altos de capital social los debates e intercambios no alcanzan la fuerza que exigen los problemas difíciles. La creatividad requiere una atmósfera de seguridad, pero sin las relaciones de cooperación necesarias nadie se arriesgará a exponer el pensamiento fresco, la idea impredecible, la pregunta comprometedora. Un CEO me describió un fracaso organizacional que deja claro que incluso el mayor de los talentos necesita cierto capital social para desarrollarse.

Un ejecutivo de Hong Kong que mostraba unas aptitudes excepcionales fue transferido a las oficinas centrales de la empresa en Europa. Todos tenían grandes esperanzas puestas en él, pero se desinfló en cuanto alcanzó su destino. Su intelecto, privado del capital social, resultaba insuficiente una vez desconectado de su equipo, pero cuando regresó a Hong Kong volvió a ser una superestrella. Sorprendentemente, este CEO concluyó que no era el individuo quien había fracasado, sino la organización. Había fallado al no apreciar que el coeficiente intelectual en sí no basta para ser productivo. Necesita apoyo, seguridad, sinceridad, conexiones y confianza.

El capital social no tiene nada que ver con el amiguismo. No significa que los compañeros de trabajo tengan que convertirse en mejores amigos o que siempre haya que estar de buen humor. Muchos de los mejores equipos están formados por personas irritables que comparten una impaciencia ante todo lo que esté por debajo de la perfección. Las orquestas quisquillosas suelen tocar mejor que otras más joviales, porque se centran en ejecutar bien la pieza y el resultado del trabajo conjunto es lo que motiva su felicidad, no al contrario. En organizaciones en las que existen elevados niveles de capital social no existe peligro alguno de mostrarse en desacuerdo, sino que se toma como un síntoma de tu implicación y los mejores compañeros para pensar en grupo no son quienes confirman tus opiniones, sino los que crean a partir de ellas. Saben que toda idea comienza como algo defectuoso, incompleto o totalmente erróneo. En organizaciones con elevados índices de capital social el conflicto, el debate y la discusión son un acicate para el progreso.

Aumentar el capital social eleva la productividad y creatividad de una organización, porque un porcentaje alto de confianza contribuye a crear un clima de seguridad y honestidad. Eso también favorece que las empresas sean más eficaces y obtengan más beneficios. ¿Cómo? Haciendo que resulte más fácil pedir ayuda.

La amabilidad podría parecer una cualidad no del todo valiosa, pero los estudios llevados a cabo en equipos de industrias tan variadas como las papeleras, los bancos, farmacéuticas y minoristas, demuestran que la disposición de un grupo tiene un impacto directo sobre los beneficios, costes, productividad y eficiencia. Los equipos formados por personas atentas aceleran el proceso de compartir el saber y el conocimiento especializado, se desviven porque nadie se quede estancado o desorientado, intentan evitar los problemas antes de que surjan y no permiten que sus compañeros permanezcan aislados ni que les hagan el vacío. El capital social se acu-

mula a medida que hacemos uso de él. Y el tiempo que un grupo permanece trabajando en equipo, el capital social acumulado, redunda en un aumento de los beneficios. La confianza, la servicialidad, la práctica y la valentía, se convierten en las sencillas energías renovables que alimentan nuestras vidas como trabajadores.

Potenciar la escucha

Probad este experimento. La próxima vez que asistáis a una reunión comprometeos a no decir una sola palabra. Puede parecer simple, pero escuchar requiere valentía: significa que debes mostrarte abierto a lo que oyes.

Muchos ejecutivos consideran que este experimento es una especie de tortura. Están acostumbrados a acudir a las reuniones con su papel aprendido y dispuestos a soltarlo. No atienden más que al momento justo para entrar en la conversación y cerrar el debate. Pero para generar índices altos de capital social es necesario escuchar tanto como se habla. Esa equidad en la contribución que a Malone le parecía tan importante solo es verdaderamente dinámica cuando se aporta la valentía y la humildad suficientes para hablar, escuchar y permanecer abierto a los cambios.

En la religión cuáquera escuchar se considera una manera profunda de experimentar el presente. Para ellos las reuniones ilustran el carácter de una mente distribuida y atender en silencio no representa una falla en la comunicación, sino una forma de apoyo social. Eoin McCarthy, un asesor que profesa la religión cuáquera, recibe numerosas peticiones para sentarse en las salas de juntas y avisar cuando se percata de que se ha tomado una decisión. Afirma que los individuos que asisten a una reunión suelen estar tan inmersos en sus propias contribuciones que no advierten cuando están cerrando las vías de debate.

McCarthy se ha convertido en un oyente profesional. Como también lo es Matthew Owens, director del Coro de la Catedral de Wells, uno de los mejores del mundo.

«Es más importante ser capaz de escuchar que de proferir un sonido —me dijo—. Cuando cantas, tienes que escuchar al otro, y responder. Los mejores conjuntos son los que escuchan y responden. Se distinguen por su capacidad de respuesta».

Cuando Owens escucha, se centra tanto en el todo —el espacio, la atmósfera— como en los intérpretes individuales. Según dice, necesitas tener dos pares de oídos. Como director del coro, Owen se dedica a lo que muchos de nosotros podríamos hacer en las reuniones: atender al estado de ánimo, dar alas a lo que funciona y elevar el tono antes de que decaiga, ajustar con precisión el ritmo y el progreso de la pieza. Es plenamente consciente de que lo que hace único al grupo es su capacidad de escuchar y generar una respuesta fresca.

Cuanto más peso tienes en el organigrama, mayor importancia adquiere tu capacidad de escuchar. Cuando habla el jefe la mayoría de las personas deja de atender a lo que dicen los demás para empezar a tomar posiciones. Pero cuando el líder calla, entonces, justo como en un buen coro, los sujetos tienen que escucharse y responder unos a otros. Así es como surge un trabajo personal y distintivo.

Scott Cook, el fundador de Intuit, permanece atento a las sorpresas, esos comentarios o datos que contradicen o ponen en tela de juicio lo que él da por sentado. Sheryl Connely, que dirige el departamento de tendencias de consumo a nivel global de Ford, anota todo aquello que le sorprende o con lo que no está de acuerdo. Además, es muy escrupulosa con sus notas. Al revisarlas suele caer en detalles que no había sabido apreciar en el calor del momento. Yo intento atender a lo que no se dice, me intereso mucho por las emociones del grupo y por cómo pueden llegar a afectarles individualmente. Garabateo sin cesar, lo cual me ayuda a mantener la boca cerrada, aunque también está demostrado que ayuda a retener lo que escuchas. Algunos de los grupos con los que he trabajado nombran a un oyente. No se trata de un arbitro, sino que más bien se le concede el papel de escuchar lo que se dice entre líneas. Ninguno de los que realizan esta función termina pensando que es una tarea fácil. Algunos incluso realizan un esquema y dividen la discusión por columnas. En una apuntan lo que se dice y en otra lo que se quiere decir. Esta es una sencilla manera de desentrañar las contradicciones, miedos y verdades ocultas.

Escuchad. Dejad tiempo para pensar. Responded realmente a lo que se ha dicho en lugar de usar el argumento que llevabas preparado. Y no interrumpas. Esto último es un hábito sencillo que a muchos les resulta difícil adoptar, pero cambia totalmente el ritmo de la discusión. Interrumpimos cuando creemos que sabemos hacia donde se dirige un argumento o una frase, pero lo único que conseguimos es bloquear nuevas ideas o pensamientos. Es más, cuando los participantes saben que no serán interrumpidos, el espíritu de la reunión cambia. Desaparece la urgencia y la lucha por adueñarse de los silencios. Cuando sabes que van a escucharte tienes más espacio para pensar.

Las culturas justas dependen del capital social para crear la sensación de compromiso y seguridad que permite que las personas escuchen, hablen y piensen entre esa maraña de frustraciones, confusión, dudas, revelaciones y descubrimiento que suscita irremediablemente cualquier conflicto creativo. Pero el capital social también se crea al concederle la importancia necesaria y reconociendo que lo que mantiene la vitalidad de una organización es la dinámica existente entre las personas.

3 Pensar es algo físico

A veces permito que mis estudiantes de empresariales vean la televisión. No se trata de ningún premio. Les muestro un fragmento de un canal de noticias financieras como Bloomberg o CNBC y les pido que retengan toda la información que puedan. Los subtítulos que van apareciendo con las cotizaciones del mercado de valores y el recuadro a la derecha con información climatológica o marcadores deportivos, no dan demasiado espacio al desdichado CEO para que explique entrecortadamente los resultados cuatrimestrales. Una vez que acaba el fragmento, les pido que me digan todo lo que recuerdan. Varias cotizaciones de bolsa, la temperatura que hará mañana en Barcelona, el nombre de la empresa del CEO y poco más. Cuando los invito a hacer una crítica de la estrategia de la compañía se quedan atónitos: ¿De verdad se suponía que teníamos que seguir toda esa información y encima pensar en ella? ¡Pero si eso es imposible!

Es imposible. El pensamiento elevado —como debatir, mostrar escepticismo o duda— se cobra un alto precio cognitivo. Exige más de nuestra capacidad cerebral. Los recursos del cerebro son limitados y la atención es un juego de suma cero. Si la usas para una cosa tienes menos para dedicarle al resto. Tenemos la ilusión de que podemos hacer varias cosas a la vez, pero ningún cerebro está diseñado para eso. Las culturas justas confían y recompensan a quienes tienen un mayor nivel de atención y creatividad, pero este nivel baja de manera rápida, profunda e inevitable con la distracción, la fatiga, y el exceso de trabajo. La cultura da la sensación de ser algo abstracto, pero jamás podrá ser justa si no se respetan y comprenden absolutamente las exigencias físicas del trabajo.

¡Céntrate!

Intentar abarcarlo todo hace que las personas polifacéticas se conviertan en malos editores de sus cerebros. Quienes insisten en emprender múltiples tareas sufren para ignorar la información irrelevante y emplean más tiempo en pasar de una actividad a otra. En otras palabras, permanecen en una continua actividad frenética, pero en realidad desperdician su tiempo. Y dado que los sistemas de memoria que compiten en el cerebro almacenan la información de manera diferente, la persona polivalente tiene más dificultades para recuperar la escasa información que retiene. Aunque esas mentes enérgicas puedan pensar que dominan el mundo de la información, lo cierto es que quedan a su merced.

De modo que nuestra manera de trabajar crea su propio círculo vicioso: cuanta más atención intentamos prestar a todo, menos reflexivos somos. Sin embargo, cuando nos centramos en algo, conseguimos mejorar nuestra concentración y recordar lo que hicimos. Nos sentimos menos agotados. Así que centrarse en una sola cosa no solo es más eficiente, sino que también mejora nuestra capacidad para usar el conocimiento que hemos adquirido. No se trata simplemente de productividad. Las personas distraídas son incapaces de reflexionar, lo cual significa que su pensamiento no es independiente. Son buenos corderos, pero jamás llegarán a convertirse en pastores del rebaño.

Los ingenieros hablan de «integridad de activos» para referirse a que los sistemas y la maquinaria tienen que ser cuidados, revisados y reparados para que no se produzca fallo alguno. En los polos industriales la estabilidad de los recursos es la piedra angular de la seguridad, la eficacia y la sostenibilidad. Para quienes no trabajamos con maquinaria física nuestro mayor activo es el cerebro y tenemos que apreciar sus limitaciones con la misma insistencia que un ingeniero industrial. La mayoría de las veces no lo hacemos, pero podríamos.

Más horas / Menor productividad

En 1908 Ernst Abbe realizó en el laboratorio de lentes Zeiss uno de los primeros estudios sobre el rendimiento laboral y concluyó que rebajar la jornada laboral de nueve a ocho horas diarias incrementaba la productividad. Posteriores estudios del siglo veinte llevados a cabo en diferentes industrias y países llegaron a la misma conclusión: la productividad no es lineal. Podemos trabajar de manera efectiva durante cuarenta horas a la semana, pero no más. Al cabo de cuarenta horas nos cansamos y cometemos errores, de modo que necesitamos más tiempo para corregir nuestros desvaríos.

Hace tiempo que industrias como las de la aviación y el transporte prestan atención al cansancio, ya que es imposible ignorar las muertes que provocan las personas que pilotan aviones y quienes conducen trenes o camiones. Pero aquellas industrias en las que los desastres no son visibles o inmediatos se han mostrado reacias. Trabajar durante toda la noche se considera una heroicidad. Las horas extra se interpretan como compromiso. Cuando una empresa fracasa o no se formalizan los grandes acuerdos (las fusiones y adquisiciones tienen un índice de fracaso del 40 al 80 por ciento), nadie se para a pensar en que podría deberse a la saturación mental.

El problema no es que no podamos seguir trabajando cuando estamos agotados. Podemos hacerlo, pero el cansancio y la distracción generan una visión túnel que el Consejo de Seguridad Química explica de este modo: «Una persona exhausta suele tener un pensamiento más rígido, muestra grandes dificultades para responder a circunstancias variables o inusuales y tarda más en razonar correctamente». Cuando estamos extenuados y agobiados solo queremos que los problemas desaparezcan sin importarnos cómo, porque carecemos de la capacidad para analizarlos o resolverlos. ¿Cuáles son las posibilidades de identificar un error correctamente, percibir una solución o que se nos ocurra una buena idea cuando estamos

LAS CONSECUENCIAS NEGATIVAS DE TRABAJAR DEMASIADO

HORAS TRABAJADAS

ante un caso severo de visión túnel? Prácticamente ninguna. Lo único que quieres es que acabe la jornada.

En el año 2012 la investigadora finlandesa Marianna Virtanen se basó en un estudio del funcionariado a lo largo de cuarenta años para examinar cómo afecta el trabajo en exceso a largo plazo. Lo que descubrió fue sorprendente. En jornadas laborales que duraban más de once horas se duplicaban los riesgos de depresión. Los que habían trabajado a partir de cincuenta y cinco horas semanales comenzaban a sufrir pérdidas cognitivas al llegar a la mediana edad. Su rendimiento era menor en las pruebas de vocabulario, razonamiento, proceso de la información, resolución de problemas, creatividad y tiempos de reacción. Esta leve disfunción cognitiva predecía también una demencia y muerte prematuras.

La fatiga es un riesgo operacional presente en la mayoría de los accidentes industriales. La falta de sueño acentúa el problema. El cerebro necesita entre siete y ocho horas de descanso cada noche. Cuando dormimos menos tenemos una pérdida de capacidad cognitiva prácticamente equivalente a cuando estamos por encima del límite de alcohol permitido. Las partes del cerebro que rigen la información, principalmente el lóbulo parietal y el occipital, disminuyen su actividad, en tanto que las áreas responsables de mantenernos despiertos (el tálamo) se vuelven hiperactivas. Esto tiene todo el sentido en términos evolutivos, ya que cuando nuestra supervivencia depende de la comida, permanecer despiertos es más importante que diseñar un menú creativo, pero resulta letal para el pensamiento crítico. Es más, al cabo de veinticuatro horas sin dormir el cerebro recibe menos glucosa y esa pérdida tampoco se reparte equitativamente, sino que afecta en mayor medida a las áreas correspondientes al razonamiento. A pesar de lo heroicos que podamos sentirnos cuando trabajamos toda la noche, estamos complicándole la vida a la maquinaria con la que desarrollamos nuestra tarea, e incluso podríamos ponerla en peligro.

Cerebros despiertos

El cerebro con el que te acuestas no es el mismo que aquel con el que despiertas. Cuando estamos cansados y faltos de sueño nuestra capacidad para pensar con claridad se reduce, pero además, tampoco recibimos los beneficios que nos reporta dormir. Mi suegro, que es científico, resolvía ecuaciones en sueños. Yo misma solucioné un código informático bastante sencillo de esa misma forma. Mendeleyev, el padre de la tabla periódica de los elementos, afirmaba que había deducido su principio de organización mientras dormía. Larry Page, más recientemente, dice que concibió la idea de Google a raíz de un vívido sueño. Lo mismo afirma Jeff Taylor respecto a Monster.com.

Estos ejemplos no son fruto de la casualidad. Nuestra mente permanece ocupada mientras dormimos, consolidando, organizando y revisando las experiencias y recuerdos recientes, lo cual genera visiones reveladoras. En ciertos experimentos en los que los participantes tienen que organizar una información que parece aleatoria, pero en realidad se rige por una complicada regla oculta, aquellos que han dormido bien demuestran tener el doble de posibilidades de descubrir el patrón que los que no lo han hecho. Los investigadores concluyen que las horas de sueño facilitan la revelación. La reestructuración de la información que tiene lugar cuando dormimos posibilitaba que los participantes vieran lo que de otro modo les resultaba esquivo.

Lo más impactante de estas investigaciones llevadas a cabo durante todo un siglo es que trabajar durante demasiadas horas afecta precisamente a las aptitudes que más necesitamos en los negocios a día de hoy. Es decir, el pensamiento, la perspectiva, la resolución de problemas, el análisis sagaz y las cualidades imaginativas. La distracción y el cansancio comprometen enormemente nuestra habilidad para juzgar las decisiones, reflexionar y recapacitar. Si nos privan de la capacidad de dudar, jamás tendremos la confianza suficiente para formular las preguntas comprometidas y articular los valores que nos definen. Solo las mentes descansadas, y por lo tanto, centradas, demuestran ser productivas y flexibles. El tiempo está de nuestra parte, siempre que sepamos cómo emplearlo.

Tiempo de silencio conjunto

Leslie Perlow, de la Universidad de Harvard, estudió la maximización del rendimiento en una compañía de software y pidió a los ingenieros que anotaran cómo empleaban su tiempo. El resultado, tristemente, nos resulta familiar a todos: un comienzo matutino lleno de buenas intenciones demorado por interrupciones y reuniones en el que el «verdadero trabajo» no arrancaba hasta mucho después del mediodía. Según uno de los ingenieros, solo cinco horas y media de las doce que pasaba en la oficina habían sido productivas y estas tenían lugar al final de la jornada, cuando su cerebro estaba ya agotado.

Perlow tuvo la perspectiva necesaria para apreciar que no todas las interrupciones eran improductivas. Varias personas habían pedido que les echaran una mano y habían recibido apoyo. Durante ese tiempo el ingeniero recibió información sobre cambios providenciales y también se tomó un descanso para escoger a sus jugadores favoritos de la Liga Fantasy de fútbol americano. Todo ello tendría cabida en una jornada de trabajo ideal. El capital social e intelectual generado era valioso. El problema era cómo afectaban esas interrupciones.

Los registros anotados mostraban dos tipos de trabajo, que se definían como «ingeniería real» y «todo lo demás». No hay que ser ingeniero para apreciar la diferencia. En toda jornada laboral podría hacerse una división entre el trabajo real —para el cual se necesita silencio y concentración— y la interacción social que suponen las reuniones, el apoyo mutuo en las tareas, las bromas y el cotilleo. Para ser verdaderamente productivos necesitamos ambas cosas. Lo que nos vuelve locos es tener la sensación de que resulta imposible controlar qué pasa, cuándo pasa y dónde.

Perlow diseñó un experimento ingenioso. ¿Qué pasaría si la agenda del día reflejara esos dos tipos diferentes de trabajo y dividiéramos la jornada en dos partes? El tiempo de silencio sería la parte del día designada para que los ingenieros pudieran trabajar solos y con la seguridad de que nadie los interrumpiera, porque sus compañeros también estarían trabajando en calma. El resto del día quedaría disponible para «todo lo demás».

Se estipuló que el tiempo de silencio tendría lugar desde primera hora hasta el mediodía durante tres días a la semana. A los ingenieros les encantó. Algunos informaron de que su productividad había mejorado hasta un 65 por ciento. Una cosa tan insignificante como reestructurar la jornada había supuesto un cambio dramático. La empresa consiguió sacar adelante un producto a tiempo por segunda vez en su historia.

Este sistema de tiempo de silencio supuso todo un reto al comienzo del experimento. Los ingenieros tuvieron que aprender a prepararse para ese momento de tranquilidad, a planificar las cosas por adelantado para asegurarse de recopilar toda la información que necesitaban. Una vez que supieron lo perjudiciales que podían ser las interrupciones, aprendieron a ser más considerados. «El estudio sobre el tiempo de silencio me hizo pensar en el impacto que tengo en mis compañeros —comentó uno de los ingenieros—. Ahora me doy cuenta de que no se trata solamente de mi tiempo de tranquilidad, sino que también tengo que pensar en el de ellos. Esto ha hecho que sea más consciente de las necesidades de los otros». Y un compañero suyo escribió: «Hemos empezado a respetar el tiempo de los demás. Antes nos centrábamos más en nosotros mismos y ahora en el equipo. Las interrupciones siguen existiendo, pero ahora todos se toman la molestia de pensárselo dos veces antes de interrumpir. Están más preparados».

Aquello no redundó en que se ignorase la colaboración mutua entre compañeros. De hecho, ahora que tenían la seguridad de que el «trabajo verdadero» estaba hecho o disponían de un tiempo fijo para hacerlo, empezaron a ser más atentos. Saber que el tiempo consagrado a la concentración estaba asegurado les daba plena libertad para mostrarse más generosos durante el resto de la jornada.

Todos ansiamos tener tiempo para concentrarnos en las tareas más importantes y podemos aprender a hacer un buen uso de nuestro tiempo. Solo con ser capaz de priorizar las tareas, convirtiéndonos en buenos editores de las cosas a las que nuestro cerebro presta atención, se puede incrementar la productividad en más de un 50 por ciento. Las personas con capacidad para concentrarse en una sola cosa durante mucho tiempo realizan las tareas con mayor rapidez y se sienten menos estresadas al hacerlo.

Es más, localizar el momento en el cual rindes mejor supone un tremendo beneficio. Gracias a ello los ingenieros obtuvieron una gran sensación de autonomía. Tenían control sobre su tiempo y los jefes lo respetaban. Ese tiempo de silencio redujo la multiplicidad de tareas y les permitía llevar a cabo el trabajo que requería concentración sin incurrir en pérdidas sociales ni intelectuales. Al hacer que los trabajadores aprendieran a respetar las necesidades de los demás se generaba capital social.

Cuando hablo de ese tiempo de tranquilidad necesario en las empresas, muchos de los gerentes se aterrorizan ante la perspectiva de perder su derecho a interrumpir. Sus empleados, por el contrario, suelen mostrarse entusiasmados. Pero la posibilidad de cumplir con la fecha de entrega del producto ha hecho que muchos se animen a experimentar con esta idea. El asesor Tony Schwartz consiguió convencer a una empresa auditora para que permitiera que al menos uno de sus grupos de empleados trabajara de manera diferente y alternaran períodos de concentración de noventa minutos ininterrumpidos con pequeños descansos. Ese grupo destacó entre sus compañeros por conseguir finalizar más encargos en menos tiempo, pudiendo salir antes del trabajo y no sufrir tanto estrés durante el período estipulado para la presentación de declaraciones de renta.

Otras organizaciones han desarrollado alguna variante. En Ocean Spray hay ciertos momentos del día y de la semana en los que nadie puede concertar una reunión. Esa sencilla regla les concede libertad para programarse el trabajo o los compromisos externos. The Pohly Company diseñó unos carteles grandes y bonitos para sus cubículos y sillas en los que decía: «No molestar», una forma fácil e individual de ganar en concentración. Otras organizaciones que conozco cuentan con habitaciones silenciosas, espacios sin teléfonos en los que nadie puede interrumpirte. «No siempre trabajo cuando estoy allí —me confió uno de sus usuarios más frecuentes—. A veces, simplemente pienso. O respiro. O intento hacerme a la idea de cuál es el siguiente paso». Yo diría que eso también es trabajar.

Crear las condiciones idóneas para que el trabajo se realice mejor y de la manera más sencilla es una tarea que debe llevar a cabo cualquier líder, independientemente del grupo al que dirija y el tamaño de este. Pero, aunque no trabajes en una organización en la que parezca factible promulgar grandes cambios como el de tener tus momentos de tranquilidad, siempre puedes pensar en cómo organizar tu propio tiempo. En mi época de productora televisiva concertaba citas conmigo misma. Salía de la oficina cada jueves, de once a doce y media, para marcharme a alguna parte en la que nadie me interrumpiera. Este era mi tiempo para pensar y en muchas ocasiones el más productivo de toda la semana.

Disponer de un momento para «no hacer» daba alas a mi mente. Siempre acababa recordando alguna información esencial que había pasado por alto. O, de repente, encontraba una solución simple a un problema que me traía de cabeza. Dado que viajo continuamente, me he impuesto la regla de quedarme mirando por la ventana. No puedo disponer de tanto tiempo libre como querría, pero siempre es posible desconectar aprovechando los desplazamientos, el tiempo que tardo en llegar de un sitio a otro. Otear el horizonte sienta bien a mis ojos y a mi cerebro. Sin música, pantallas, podcasts, ni radio. Este momento de ocio obligado supone mi espacio de reflexión real, independientemente de que viaje en avión, en tren, o en el asiento trasero de un coche. Y gracias a ello esos tediosos desplazamientos se han transformado en una forma de retiro.

Espíritu viajero

El acto de pensar tal vez sea lo que nos distingue como humanos y es sin duda la base de la creatividad, la innovación y el trabajo productivo en el que se apoyan las organizaciones. Pero eso no significa que las personas decidan pensar por sí solas o que les parezca algo placentero. Según un estudio reciente, el 83 por ciento de los adultos estadounidenses afirmaban que no dedican nada de su tiempo a «relajarse o pensar». Es más, cuando se les invitaba a hacerlo, no disfrutaban con ello.

Sin embargo, dejar que la mente divague se demuestra como una manera efectiva de resolver problemas o ver las cosas desde otro punto de vista. Cuando nos concentramos demasiado en nuestro trabajo podemos volvernos demasiado obsesivos, inflexibles y poco receptivos a nuevos patrones, personas o ideas. Cuando nos evadimos de él accedemos a otras partes del cerebro que nos ayudan a encontrar la información o el patrón necesarios para comprender o resolver algo. Así pues, para ser realmente productivo hay que dedicar tiempo a la reflexión y a la concentración, pero también a divagar.

Muchas personas han experimentado esa revelación que surge en la ducha, cuando se conduce de vuelta a casa o preparando la cena. Las actividades que realizamos mecánicamente o exigen poca atención liberan nuestra mente para que haga de manera inconsciente aquello que le resultaba imposible hacer en estado consciente. Y no se trata simplemente de algo anecdótico. Diversos experimentos en esta misma línea demuestran que nuestra creatividad aumenta cuando nos tomamos un respiro y realizamos tareas sencillas. De entre las cuales, pasear es una de las más simples, baratas y efectivas.

Está demostrado que caminar, ya sea al aire libre o en una cinta para correr, mejora la generación de ideas nuevas y útiles. Cualquier actividad física acentúa la capacidad de reflexión, pero concretamente el acto de caminar mejora la creatividad aproximadamente en un 60 por ciento. Pasear al aire libre parece contribuir a la creación de un mayor número de ideas nuevas y además restablece la habilidad cognitiva una vez que la hemos agotado. Antes de hacer una lluvia de ideas, cuando estéis atascados con un problema, o simplemente porque necesitáis tomaros un descanso y hacer ejercicio, media hora de paseo puede ser mucho más productiva que quedarte a hacer horas extras.

Para que tu mente divague necesitas permanecer un tiempo a solas. El CEO de uno de los mayores bancos del mundo me dijo que durante los últimos cinco años solo había pasado un día en soledad. Las secuelas de la crisis económica habían eliminado todo su tiempo de reflexión precisamente cuando más lo necesitaba. Pero ¿cómo puedes saber lo que piensas si no tienes tiempo para hacerlo sin interrupciones? ¿Cómo puedes superar los conocimientos adquiridos y todo lo que das por hecho sin tener un momento para ti? Para ser capaz de explicar tus ideas y pensamientos necesitas tiempo para explorarlos. Las primeras ideas que se nos ocurren no suelen ser las mejores. Para superarlas es preciso divagar. Que necesitemos un tiempo a solas no significa que haya que ser introspectivos, ya que hay mejores temas en los que pensar que uno mismo, sino disponer de un espacio para explorar nuestras dudas, desafiar nuestras suposiciones y percibir las señales más débiles. Si vas a tener una conversación contigo mismo, será mejor que te escuches.

Dicho esto, no podemos negar que en ciertas ocasiones tenemos plazos de entrega cruciales u oportunidades por las que resulta esencial trabajar a tope. Es lo que en el mundo anglosajón se conoce como entrar en modo *crunch*, un término derivado de la industria informática, en la que siempre se ha usado para referirse al trabajo realizado a destajo para que un producto se desarrolle en el tiempo establecido. Es un período en el que todos hacen horas extra y al compartir ese momento en las trincheras suele desarrollarse un fuerte espíritu de camaradería.

El trabajo intensivo puede ser genial, siempre que no dure eternamente. En el año 2004 los equipos de desarrollo de software que trabajaban para el gigante de los juegos de ordenador Electronic Arts empezaron a realizar jornadas de ocho horas durante seis días a la semana. Pronto pasaron a ser de doce horas diarias, y después comenzaron con jornadas de once horas durante siete días a la semana. El trabajo intensivo se había convertido en la norma. La bloguera Erin Hoffman quedó horrorizada al ver lo que le sucedía a su prometido, que trabajaba allí, y puso el grito en el cielo públicamente, lo cual resultó en una demanda colectiva contra la compañía. «Al cabo de un determinado número de horas tus ojos empiezan a desenfocar. Después de numerosas semanas con un solo día de descanso, el cansancio empieza a acentuarse y acumularse exponencialmente. Tu salud mental, emocional y física comienza a resentirse. El equipo empieza rápidamente a generar un número de errores equivalente al de problemas que resuelven. El porcentaje de errores se disparaba durante el trabajo intensivo».

Electronic Arts ha mejorado sus horarios desde que se interpuso la demanda en el año 2006, pero otras empresas han ido más allá. SAS Institute, líder en el campo de análisis de datos, no permite que sus empleados trabajen más de treinta y cinco horas semanales. La razón es sencilla. Se trata de un trabajo que requiere mentes frescas y una concentración verdadera para la cual el límite humano es de treinta y cinco a cuarenta horas semanales. Es una industria feroz y competitiva, pero reducir la jornada laboral no ha limitado el éxito de la compañía, sino que la ha hecho sostenible.

Trabajar a destajo puede ser adictivo. Pero como con cualquier otra adicción hay que elegir una forma de desintoxicarse. Conozco ejecutivos que organizan su año laboral para disponer de un buen período de tiempo en el que dejan de trabajar completamente. Puede llegar a un mes, más incluso. Los que no cuentan con esa libertad se vuelven más disciplinados respecto a sus vacaciones y se comprometen deliberadamente con actividades que resultan demasiado difíciles o caras de cancelar. Los empleados de Daimler reciben instrucciones de borrar cualquier correo que reciban cuando están de descanso y dejan un mensaje automático en el que explican este hecho. Volkswagen desconecta el servidor de correo en horario no laborable y el Huffington Post urge a sus trabajadores a no conectarse cuando están de descanso. Pero todas las personas a las que pregunto, desde los altos ejecutivos al personal de recepción, afirman que usan los fines de semana para recuperarse. La solución de Evgeny Morozov tal vez sea la más extrema. Guarda su portátil y el móvil en una caja fuerte con una combinación de apertura programada, de modo que no puede acceder a Internet hasta el lunes por la mañana, aunque se muera de ganas por hacerlo. Así tiene tiempo para que su mente se disperse en otros lugares.

Yo me he impuesto como regla que en verano solo puedo leer ficción. Dado que durante el resto del año no tengo tiempo para novelas ni relatos, mis lecturas suelen ser utilitarias. De modo que cambio de tercio, obligándome a leer libros que requieren un ritmo y mentalidad diferentes. Aunque lo hago por gusto, hay estudios recientes que sugieren que los beneficios van más allá del mero cambio de ritmo. Está demostrado que leer ficción —pasajes de los finalistas del National Book Award, ganadores de premios prestigiosos de narrativa corta, o incluso los *bestsellers* de Amazon— mejora la teoría de la mente, que es nuestra facultad para apreciar que los demás pueden pensar de manera diferente. En uno de estos experimentos repartieron entre los participantes el mismo test de "Leer la mente a través de los ojos" que Tom Malone usó en su estudio de trabajo en equipo y empatía. Los que habían leído un mínimo de tres obras de ficción literaria obtuvieron mejores resultados, y la calidad literaria marcaba la diferencia.

El tiempo es el bien más preciado a lo largo de nuestra vida laboral, que equivale a unas cien mil horas. Una vez empleado ya es imposible recuperarlo y no podemos crear más. De modo que decidir en qué manera lo empleamos es sumamente importante. A la mayoría de las empresas se les da muy bien medir el tiempo en términos de cantidad, pero no saben calcular su valor. Necesitamos tener tiempo para trabajar tranquilos y concentrados. Necesitamos tiempo también para esparcir la mente y encontrar esa perspectiva e inspiración que la concentración no puede aportarnos. Sincronizar los tiempos de un equipo, un proyecto o una organización entera puede crear un poderoso espíritu de comunidad. Pero a veces salir de nuestro lugar de trabajo puede ser la mejor contribución que hagamos a él.

4 Romper las barreras

Tod Bedilion es un hombre curioso. Director general de Roche Diagnostics en California, ha pasado todo una vida trabajando en biotecnología, primero en diferentes *start-up* y ahora trabaja en Roche. Cualquiera pensaría que se trata del típico científico corporativo. Pero se equivocarían.

«Siempre he sido una persona curiosa en todos los aspectos. Me pregunto por lo que hacemos, cómo lo hacemos, por qué lo hacemos. Y eso ha hecho que mi frustración respecto a nuestros parámetros de actuación en investigación y desarrollo vaya en aumento. Pero no soy el único. Los 250 responsables de I+D a los que sondeamos compartían este sentimiento. Los dos mayores obstáculos para la innovación eran las rígidas jerarquías y no sacar el suficiente partido al potencial que tienen nuestros empleados.»

Los equipos de investigación no son los únicos que sufren. Todas las empresas en las que he trabajado se quejan del pensamiento inflexible, la falta de vitalidad creativa en el entorno laboral y la dificultad para colaborar entre los diferentes departamentos. Las culturas de trabajo justas tienen como objetivo conseguir que todos sus integrantes aporten más. Pero para eso es necesario que la cultura interna se mantenga abierta y receptiva al mundo exterior sin que ello tenga que afectar a su coherencia. Así que se produce una paradoja: para que la cultura interna mantenga su vitalidad deber ser permeable a lo que sucede fuera.

La curiosidad acaba con la compartimentalización

Bedilion y sus compañeros idearon un experimento. Primero identificaron seis retos, seis problemas en curso que abarcaban desde la ingeniería mecánica a la bioquímica, e informaron de ellos a los 2.400 miembros que conforman la comunidad de I+D de Roche. La respuesta decepcionó a Tod. El número de empleados que se dignaron a revisar los problemas apenas llegó a 419, de entre los que solo cuarenta de ellos enviaron propuestas, algunas de las cuales constaban de unas pocas frases. Pero una de ellas había obtenido resultados: se encontró la forma de medir la duración de la batería de los glucómetros. Sin embargo, esta victoria tenía un sabor agridulce, ya que el problema había sido presentado por el equipo de investigación diabética de Alemania y el ingeniero que lo resolvió formaba parte del mismo, aunque trabajaba en Indianápolis. Y no había oído hablar de tal problema hasta ese preciso momento. Bedilion consideró que esto no hacía más que demostrar cómo el intelecto se oculta y queda atrapado tras las estructuras de la organización.

Por otro lado, informaron a los 160.000 «solucionadores» que trabajan en una plataforma de innovación abierta llamada InnoCentive de uno de sus retos más pertinaces, un problema que llevaba veinte años sin resolver. En esta ocasión la respuesta dejó atónito a Bedilion: recibieron 113 propuestas detalladas repletas de datos, gráficos, experimentos y energía. Solo necesitaron sesenta días y una recompensa en metálico de 25.000 dólares para encontrar una propuesta innovadora que lo solucionara.

Habían resuelto dos problemas difíciles. Pero algunos investigadores no se mostraban contentos con el experimento ni con sus resultados. A Bedilion le entusiasmaba la llegada de nuevas ideas, pero muchos de sus compañeros no estaban dispuestos a pensar que alguien ajeno a la empresa tuviera algo que ofrecerles. «Estaban con la mosca detrás de la oreja. Se mostraban recelosos —recuerda Bedilion—. Al ver que otras personas resolvían su problema se ponían a la defensiva».

Esa experiencia le demostró que el talento, difícil de encontrar, compartimentalizado y desconectado tanto del mundo exterior como de sus pares, se inhibe con asombrosa facilidad. Las estructuras organizacionales generan división y nosotros asimilamos las barreras. Tenemos líneas de demarcación entre departamentos, fronteras geográficas, el orden jerárquico inherente a las multinacionales, diferentes niveles de capacitación técnica... La propia especialización pone freno a la innovación, porque cataloga a las personas y limita lo que piensan o se atreven a pensar. Todos permanecen encerrados mentalmente en su casilla del tablero.

«El sistema de InnoCentive es fantástico —explica Bedilion—, pero en realidad esto no tiene nada que ver con la tecnología. Ni con la geografía. Se trata de la mentalidad. ¿Permaneces encerrado mentalmente en los confines de tu trabajo o la curiosidad te hace romper las barreras? Es preciso mantener esa curiosidad de raíz, tienes que permanecer abierto y dispuesto. Date un paseo. Habla con la gente. Ofrece la otra mejilla. Crea conexiones a tu alrededor. Alimenta esas relaciones. No te encasilles».

Es significativo que muchos de los éxitos de InnoCentive procedan de personas que trabajan en otra especialidad. La búsqueda de un marcador biológico para la esclerosis lateral amiotrófica (ELA) se produjo gracias a la colaboración entre un biólogo de planta y un dermatólogo. El Oil Spill Recovery Institute (OSRI), que continúa intentando encontrar mejores formas de limpiar el desastre del petrolero Exxon Valdez de 1989, obtuvo una solución crucial por medio de un ingeniero de la industria cementera. Estos «solucionadores» contaban con la curiosidad y la libertad mental para trabajar allí donde quisieran.

El experimento de Roche no era una competición entre esta multinacional y la plataforma abierta Innocentive. Ambos resolvieron problemas de primer orden. Pero la experiencia nos muestra un desafío mayor: ¿Cómo podemos acoger, conectar y avivar todo ese talento que coexiste en nuestro trabajo? ¿Cómo pueden llegar a percatarse las organizaciones de los beneficios de reunir todo el talento en un solo lugar? La respuesta es una contradicción en sí misma: dadles libertad. No los atéis. Liberadlos física y mentalmente.

TODOS PERMANECEN ENCERRADOS MENTALMENTE EN SU CASILLA DEL TABLERO.

Saca la cabeza: sal de la oficina

El afán por derribar los muros mentales que constriñen el pensamiento y la colaboración ha inspirado a la mayoría de las empresas a derribar los muros en las oficinas. El setenta por ciento de las compañías estadounidenses usan salas diáfanas y sus empleados no disponen de un escritorio fijo con la esperanza de que esta libertad en cuanto a estructuras físicas se materialice en una forma de pensamiento libre. Este determinismo arquitectónico no es del todo convincente. Está más que demostrado que los espacios de trabajo abiertos resultan ruidosos, impersonales y generan distracciones. Las últimas veces que he merodeado por entornos laborales de este tipo no he podido evitar fijarme en lo que se esforzaban todos por estimular la privacidad. Trabajan con auriculares puestos, se rodean de columnas de libros y mamparas, se muestran mucho mas defensivos que abiertos mentalmente.

La arquitectura no cambiará la mentalidad por sí sola y derribar los muros físicos no demolerá la compartimentalización mental en la que queda atrapado el pensamiento. Para eso, es necesario escapar de la oficina y empaparte de vida.

«Dirijo una empresa que mueve mil millones de dólares y la gente suele pensar que todo lo que necesitas saber para entender un negocio puedes encontrarlo en los números. Nada más lejos de la realidad, porque el verdadero significado del negocio reside en todo menos en eso».

Louise Makin era ambiciosa y estaba dispuesta a sostener el crecimiento del mayor de los negocios de Baxter International: tratamientos para hemofílicos. Pero pronto se dio cuenta de que los números no le mostraban lo más importante.

«No llegué a comprenderlo hasta que empecé a visitar asociaciones de pacientes. Conocí a una madre y a su hijo al que acababan de diagnosticar hemofilia. Nos necesitaban enormemente y dependerían de nuestros productos durante toda la vida. ¿Seguiríamos ofreciendo los productos antiguos? ¿Desarrollaríamos otros nuevos? ¿Teníamos la suficiente grandeza y audacia para seguir invirtiendo en el negocio? Me encontraba ante una vida real, así que ya no podía verlo como un simple negocio. Aquello cambió mi perspectiva por completo».

Makin me contó que esa experiencia le hizo trasladar su enfoque al desarrollo y posicionamiento del medicamento. En lugar de pensar en una transacción, pensó en colaborar con los pacientes y familias para desarrollar las terapias que necesitaban. Hoy Makin es CEO de BTG, una empresa de atención sanitaria que se centra en áreas de la medicina perfectamente definidas: enfermedades hepáticas, hematomas, venas varicosas... Ese coto reducido les permite una relación más estrecha con los pacientes y facultativos. BTG no ve al médico como ese desventurado objetivo al que hay que engañar para que realice una compra y los comerciales no son los únicos que se relacionan con los médicos. Makin se refiere a esto como «estar ojo avizor» y aduce que en todo nuevo trabajo siempre hay que tener a alguien, una persona al menos, que se dedique a otear el horizonte y a no perder nunca el contacto con el entorno desde una perspectiva más amplia.

Introduce líneas de pensamiento divergente

Mathias Essenpreis congregó en la sede suiza de Roche Diagnostics a lo que él califica como un «equipo de trabajo muy extraño» para desarrollar una nueva línea en la estrategia diagnostica de la diabetes que lleva a cabo la compañía. Los anteriores productos estaban destinados a los hospitales y unidades de cuidados intensivos, pero ahora la empresa quería algo que los pacientes pudieran usar por sí mismos. Este cambio de perspectiva hizo que Essenpreis tendiera una mano a los diabéticos para que trabajasen con ellos. Y no se quedó ahí, sino que también introdujo en el equipo a una artista plástica, Kelly Heaton.

«Necesitaba contar con una visión exterior radical —me contó Essenpreis—, alguien que no tuviera experiencia previa con Roche ni con la diabetes, sino que pensara holísticamente, que no estuviera lastrado por esas limitaciones. El equipo estaba tan emocionado con sus aportaciones que la contratamos a tiempo completo. Tenía la facultad genial de formular siempre la pregunta adecuada a quien correspondiera. Se encargaba de mantener la perspectiva. Nos vimos inmersos en un período muy intenso en el que nadie podía salir de la sala o acabar la jornada sin que se produjera un debate que emocionara al equipo, y se produjeron grandes avances en el entendimiento mutuo».

Esta experiencia se convirtió en el período más creativo en la carrera de Essenpreis. A día de hoy trabaja como director ejecutivo del departamento tecnológico de Roche Diagnostics y lo que más valora es la posibilidad de liberar a las personas y conectarlas entre sí.

«Por lo general, las estructuras inflexibles te llevan a la compartimentalización del pensamiento. En lugar de eso, lo que ahora me preocupa y me apasiona es conectar a personas diferentes cruzando esas fronteras artificiales. Así es como desaparece la compartimentalización, porque los puntos nodales donde se cruzan esas barreras son los que generan más creatividad».

Una visión muy parecida fue la que descubrieron prácticamente por accidente en ARM, la empresa que diseña los procesadores con los que funcionan la mayoría de tablets y *smartphones* del mundo. ¿Cómo pasaron de ser una pequeña empresa con sede en Cambridge, Inglaterra, a convertirse en un centro neurálgico de la innovación y el diseño? Según Tom Cronk, el director general del departamento de procesadores, lo consiguieron gracias a derribar las barreras físicas y mentales que había entre los ingenieros de ARM y las empresas con las que trabajan.

«El modelo de negocio evolucionó a través de la necesidad. Éramos solo doce personas y teníamos una excelente oportunidad de trabajar con una empresa fabricante de equipos que contaba con diez mil empleados. La única forma para que aquello funcionara era integrarnos en su equipo. Marcar nuestro territorio carecía completamente de sentido. Y así es como hemos trabajado desde entonces. Casi todos los empleados de ARM están en contacto con la empresas asociadas. Contamos con nuestros propios despachos, pero no pasamos mucho tiempo en ellos. La mayoría de nosotros trabaja dentro de otras organizaciones amigas».

A medida que transcurre el tiempo, muchas de las estructuras organizacionales empiezan a gestionarse de manera narcisista, una obsesión con los procesos internos del negocio que impide que presten la atención debida al mercado y a los clientes en los que se inspira. En ARM las relaciones con el mundo exterior son tan importantes para el negocio que es ahí, y no en la sede central de la empresa, donde trabajan y hacen su vida muchos de sus diseñadores, ingenieros y arquitectos. Mientras muchas organizaciones hablan de los departamentos, lo que Cronk propone, y lo que Makin y Essenpreis experimentaron, es una membrana porosa que tiende puentes entre la compañía y el mundo. Si su negocio conserva la creatividad es gracias a que interactúan y se producen frecuentes colisiones entre ellos.

«No sabría decir realmente si lo que hacemos es salir o dejarles entrar, pero en cualquier caso no existe una barrera real entre nosotros —observó Cronk—. Ahí reside la fuerza de este modelo de negocio. Nuestros ingenieros se sienten, actúan y piensan del mismo modo cuando hablan entre ellos que cuando se comunican con ingenieros asociados del otro lado del mundo. No es necesario mantener el control. Confiamos mucho en ellos».

Estas organizaciones, espoleadas por la curiosidad y caracterizadas por una sorprendente ausencia de actitud defensiva, quieren que sus empleados se sientan como peces en el agua tanto fuera de la oficina como en el mundo. Algunas empresas, como iRobot y el canal de televisión británico Dave, cuentan con espacios en sus propias oficinas diseñados a imagen y semejanza del interior de las residencias de sus clientes para que tengan siempre presente donde viven estos. Otras empresas hacen que sus ejecutivos se turnen para ejercer como clientes. Pero no hay nada como salir de la oficina y tratar con las personas a las que va destinado nuestro trabajo.

¡Vete! ¡Sal de la oficina!

Innocentive usa la tecnología para llegar tan lejos como su red permita a la hora de captar ideas y energía. BTG y ARM crean fructíferas redes de colaboración externa con este mismo propósito. Essenpreis introdujo una mentalidad completamente diferente al incluir a una artista plástica en el equipo. Todos estos enfoques eliminan las limitaciones formales del trabajo para expandir las perspectivas, el talento, el lenguaje y la energía. Conservan —o reactivan— la sensibilidad innata del ser humano, lo cual confirma que piensan que las grandes ideas no salen de la oficina, sino de la vida.

«Tengo un viejo amigo que se llama Jim y es artista del vidrio. Realiza hermosas obras que vende por unos dos mil dólares. Estábamos poniéndonos al día mutuamente cuando me comentó que acababa de perder una venta porque la compradora tenía una tarjeta de crédito, pero no llevaba tanto dinero encima».

El amigo de este artista del vidrio era Jack Dorsey, uno de los fundadores de Twitter. Pero su éxito, lejos de confinarlo a su despacho, le otorgaba libertad de movimientos.

«Tras aquella conversación me pregunté por qué Jim no podía aceptar un pago con tarjeta de crédito y pensé en todas esas personas de los mercadillos artesanales y de alimentación que probablemente tendrían ese mismo problema. ¿Cómo podía solucionarles el problema?»

Ese fue el germen de Square, un pequeño conector para teléfonos de última tecnología mediante el que estos se convierten en lectores de tarjetas de crédito. En el año 2014 el número total de vendedores que usan Square ocupaba el puesto número trece entre el total de minoristas de Estados Unidos. La nueva idea de Dorsey no se había desarrollado en Twitter, ni gracias a un muestreo o estudio de mercado. La había sacado de la vida misma. Tal vez sin su ayuda, sin su experiencia con los mercados, si no se hubiera topado con el saber tecnológico de Dorsey, su amigo seguiría perdiendo ventas.

Para crear rápidamente un prototipo de su idea, Dorsey se dirigió a TechShop, un taller abierto al público repleto de maquinaria: soldadores, cortadoras de agua a presión, impresoras 3-D, telares y láseres. La tecnología desarrollada durante los últimos veinte años ha hecho que el manejo de estás máquinas resulte más barato y fácil que nunca. Pero la creatividad de TechShop no se debe simplemente a las herramientas de las que dispone. Una vez dentro de la comunidad, puedes pedir ayuda a quien quieras y debes dispensarla a quien te la pida.

Jim Newton, su fundador, y el CEO Mark Hatch, la concibieron desde un principio como una sala de juegos para inventores, artesanos y emprendedores, una plataforma de innovación física donde la colisión de ideas estaba garantizada.

Cuando TechShop abrió su sede en Detroit, Ford Motor Company ofreció dos mil membresías gratuitas a los empleados que entregaran buenas ideas. Cualquiera que trabajara en Ford podía inscribirse a esta oferta y sus ideas no tenían porqué estar relacionadas con el mundo del motor. Pero el acceso a las herramientas, maquinaria y conocimiento que procedían de todos los rincones de Detroit, no solo de la compañía Ford, atrajo a empleados de todos los sectores del negocio. Al cabo de un año la multinacional consideró que las ideas patentables de sus trabajadores se habían incrementado en un 50 por ciento gracias a TechShop.

Soltad el móvil y mirad a vuestro alrededor. Sed conscientes de dónde estáis. Las ideas, la provocación y el reconocimiento de patrones provienen del mundo real. Las grandes ideas nunca se gestan ante el escritorio. Pasear es un ejercicio creativo, pero hacerlo al aire libre lo es más si cabe. El descubrimiento que llevó a la reacción en cadena de la polimerasa con la que arrancó la revolución genética no salió de una sala de conferencias, sino de un trayecto por una autopista. Muchos de los CEO que conozco afirman haber extraído las lecciones más valiosas sobre liderazgo como entrenadores de la liga de béisbol infantil, la Little League. Los grandes ingenieros suelen decir que sus mejores inventos proceden de sus aficiones. Desde una perspectiva empresarial, la forma más práctica de entrar en sintonía con el momento y los mercados a los que sirves es implicarte en el mundo que te rodea. Y desde una perspectiva humana, pertenecer a una comunidad abierta y prolífica es la mejor forma de crear y enriquecer las redes neuronales de la mente.

Eric Ryan y Adam Lowry, amigos del colegio, solían verse regularmente para compartir sus notas sobre las tendencias que observaban con la esperanza de encontrar un negocio que emprender juntos. A principios del 2000 advirtieron que la gente empezaba a emplear cada vez más tiempo y dinero en sus casas, pero las limpiaban con productos que eran tóxicos, olían fatal y tenían un aspecto tan horrible que había que ocultarlos. ¿Y si creasen productos de limpieza que honraran al planeta, tuvieran una buena fragancia y fuesen tan bonitos que la gente quisiera mostrarlos? Ese posicionamiento los llevó a crear la línea de productos para el cuidado del hogar Method, un negocio que no habría sido posible sin que Eric y Adam se mostraran abiertos al mundo, atentos a sus momentos y pasiones.

Ryan y Lowry han seguido obsesionados con mantener la empresa abierta y receptiva a lo que se vive en la calle incluso después de tener éxito con su propuesta. Dado que Method no usa sustancias químicas tóxicas, no necesitan que su negocio esté situado en un parque industrial, sino que sus oficinas (incluso el departamento de I+D) están ubicadas en el centro de San Francisco. Todos se turnan para atender el mostrador de recepción, ya que es la cara visible de la empresa y el lugar donde se producen las interrelaciones. Eric se sienta junto a Meghan, que lleva el servicio de atención al cliente. Quiere saber por qué llaman, qué les preocupa, qué preguntas e ideas pueden darles. Meghan asiste a las reuniones de diseño de los productos para compartir sus conversaciones con los clientes, de modo que la filosofía de la compañía recibe la influencia del mundo exterior.

Sus aproximadamente cien empleados —toda una armada contra la suciedad— se dividen en varias salas limpias como los chorros del oro y llenas de escritorios, prototipos y paredes cubiertas de pizarras blancas. La cocreación es un trabajo del que participan todos. Cualquiera puede contribuir con sus ideas y visiones en esas paredes cubiertas con laminado acrílico. Pero el espíritu de colaboración del que depende la empresa no se queda en la mera arquitectura. Está basado en la sensación de que todos cuentan y todos contribuyen. Los fundadores se esfuerzan mucho para asegurarse de que todos y cada uno de ellos se sientan en contacto con los demás y no queden atrapados en unas jerarquías que no puedan saltarse. Como consecuencia de ello, cuando entras a una de estas salas resulta imposible distinguir a los miembros fundadores de los meritorios.

En esta armada contra la suciedad se habla abierta y fácilmente sobre los errores cometidos. Nadie se pone a la defensiva. Eric y Adam parecen ser muy conscientes de que no lo saben todo y de que siempre necesitarán seguir aprendiendo del mundo que les rodea.

Autodesk ofrece a sus empleados la posibilidad de intercambiar sus vidas —los escritorios, el puesto de trabajo, incluso las casas— con compañeros de otras ciudades y países. Arup anima a sus trabajadores a trabajar en proyectos de todo el mundo, generando conocimientos técnicos especializados y capital social a lo largo de los cuarenta y dos países en los que opera la compañía. La mayoría de las empresas insiste tarde o temprano en que sus ejecutivos visiten los clubes, bares, tiendas o centros comerciales en los que pasan el tiempo sus clientes. Algunas piden voluntarios y otras recompensan específicamente a quienes muestran implicación fuera del propio entorno laboral. Todas estas iniciativas tienen un mismo objetivo, conseguir que la mente se extienda más allá de los escritorios y salas de reuniones, construir nuevas redes neuronales que refresquen el pensamiento y susciten nuevas conexiones.

Reuniones fuera del trabajo que funcionan

Mientras construía lo que llegaría a convertirse en Boston Scientific, John Abele empezó a obsesionarse ligeramente con la colaboración. ¿Por qué funcionaba en ciertas ocasiones y en otras no? ¿Cuáles eran las condiciones que la facilitaban? Solucionar esto resulta vital para muchas empresas en las reuniones fuera del trabajo, cuando las personas que pertenecen a la organización se suman a otras ajenas a ella para abordar los problemas difíciles. Pero a menudo, estos intentos de confrontación creativa hacen que los participantes se reafirmen en sus posicionamientos en lugar de ver las cosas desde otra perspectiva. Los hoteles se parecen demasiado a las oficinas, porque en la distribución de habitaciones y suites también hay categorías. Los asientos reflejan el orden jerárquico y siempre es más fácil hablar con personas a las que ya conoces. Esas experiencias decepcionantes inspiraron a Abele para intentar crear un centro de reuniones de trabajo que fuera diferente.

«Me gustó Kingbridge porque arquitectónicamente era alucinante —me dijo Abele—. Resulta fácil olvidarte de dónde estas. Tiene una variada gama de pasillos que invita a pasar de un estado mental a otro. Hay mucho sitio en las paredes dedicado al arte y microambientes muy diferenciados. Me parece como si estuvieras atravesando el espejo o el armario, como en Narnia. Tiene múltiples espacios para escenificar piezas creativas, usando música, luces y otras cosas. Esto permite que sorprendamos a nuestros invitados y también darles una sensación plena de comodidad y de atención amistosa».

«John quería crear un tipo de espacio diferente cuando compró las premisas —me dijo Lisa Gilbert, que dirige el centro después de una desilusionante carrera en una industria hotelera que ya no encontraba nada hospitalaria—. En los hoteles tradicionales tienes habitaciones de diferente tamaño. Él quería que todas fueran iguales, que no hubiera espacios de primera, ni suites presidenciales. Se trata de que las reglas del juego sean las mismas para todos. También quería crear un espacio más social. El comedor no se parece tanto al de un restaurante como al de una casa. Ves cómo se eliminan las barreras y la gente se queda hablando durante horas. John nunca quiso contratar a un decorador de interiores, todas las áreas son imperfectas y el mobiliario es el que podrías encontrar en casa. Se puede deambular cómodamente, la gente aquí no se esconde.»

Crear un clima de comodidad y seguridad es un intento premeditado de hacer que el centro de conferencias de Kingbridge se parezca a tu trabajo lo menos posible. «Sacamos a la gente a pasear, los animamos a entrar en una atmósfera de juego y a que vean las cosas de una manera divertida y ociosa. Si pueden ser diferentes fuera de la reunión, también lo podrán ser dentro. Se trata de generar la valentía necesaria para explorar».

Kingbridge se sale de la norma deliberadamente para desarticular las rutinas y comportamientos establecidos. Cambiar las reglas de la vida en el trabajo puede surtir ese mismo efecto. Una de las mejores conferencias a las que he asistido planteaba el fortalecimiento del trabajo en equipo de un modo completamente diferente. Todos los asistentes (incluidos los CEO y presidentes) tenían que hacer un turno de cocina y de servicio de comidas a lo largo de los cuatro días que duraba el encuentro. De repente, podía estar sirviéndote la comida alguien que había sido primer ministro, o te encontrabas cocinando con el presidente de una ONG. El mensaje estaba claro: todos los presentes pueden contribuir con algo y cada uno de nosotros cuenta por igual.

Vete a casa

Con la llegada de la revolución industrial, el trabajo que antes se hacía desde casa empezó a centralizarse en oficinas y fábricas que desarrollaron una arquitectura única e introdujeron novedades respecto al mobiliario, el lenguaje especializado, las reglas y el comportamiento. Gracias a ello estos espacios fueron muy eficientes. Pero también se convirtieron en islas. El periodista económico Gilliant Tett señala que el distrito financiero de Canary Wharf, en Londres, es realmente una isla. Su aislamiento geográfico y mental del resto del mundo es una de las razones por las que no supieron ver los riesgos que corrían. De igual forma, esos espléndidos campus universitarios que satisfacen todas las necesidades humanas son eficientes, pero se arriesgan a quedar desconectados de la realidad y convertirse en burbujas narcisistas, reaccionarias y ombliguistas.

Muchas organizaciones recelan del tiempo que sus empleados pasan fuera de la empresa, dando por hecho que el trabajo es una cuestión seria y estar en casa un asunto trivial. Esto es un grave error. El hogar enriquece el trabajo, porque te obliga a cambiar de perspectiva. Su valor reside en la diferencia. Uno de los jefes de producto de Procter & Gamble describió su primera experiencia contratando a un trabajador a tiempo parcial para su equipo. Al principio se había mostrado reacio, pero la experiencia le hizo cambiar de opinión. «Descubrí que para nosotros era increíblemente valioso contar con alguien que no estuviera aquí todo el tiempo, alguien que saliera y fuera de tiendas, que hablara con familias, que frecuentara todos los lugares y se relacionara con las personas como nosotros deberíamos hacerlo».

Pero el hogar nos ofrece algo más que un estudio de mercado. Puede ser ese lugar donde nos liberemos de las jerarquías y en el que las objeciones podrían, y deberían, proceder de cualquier parte. Las discusiones en casa, con personas a las que no puedes despedir fácilmente, suelen ser un estupendo campo de prácticas para escuchar y mediar cuando hay conflictos de intereses. En casa es donde nuestros valores están más presentes, más activos. Nos recuerda quiénes somos y quiénes queremos ser. Y como tal, nos ofrece tiempo para la reflexión y un campo de pruebas para nuestras ideas y convicciones.

El anestesista Stephen Bolsin sufrió durante años porque trabajaba junto a un peligroso cardiólogo pediátrico. Las operaciones se extendían demasiado, ponía en peligro el proceso de recuperación de los niños y algunos incluso acababan muriendo. Bolsin no encontró apoyo entre sus compañeros. Los directores del hospital hicieron oídos sordos. La tentación de dejarlo correr y cerrar el pico era demasiado grande. Pero una noche, cuando describía a su mujer las dificultades que estaba pasando, su hija de cinco años escuchó la conversación que mantenían. Se dirigió hacia él y le dijo: «Papi, no puedes dejar que los bebés mueran». Ver su dilema a través de los ojos de los indefensos le insufló la energía necesaria para perseverar hasta que se cambiaron los estándares.

Si tienes hijos, el hogar también puede ser un puesto privilegiado de observación del futuro. La comunidad empresarial suele ser criticada por pensar siempre a corto plazo, así que ver el impacto que tienen las decisiones en las futuras generaciones puede suponer un antídoto que te abra los ojos. Poco importa que cumplas con los accionistas: ¿Qué futuro estás creando para los que tienes al otro lado de la mesa durante la cena?

La mejor forma de vencer nuestra sempiterna inseguridad respecto al futuro y la tendencia a ignorar sus requerimientos reside en tener cabezas bien amuebladas, capaces de franquear barreras y que se alimenten constantemente de las experiencias e ideas que aportan las personas nuevas que vamos conociendo. El compromiso con la vida personal no es el enemigo del trabajo, sino su aliado. Cuando las experiencias nos enriquecen profundamente la mente queda libre para concentrarse o divagar, encontramos lo que necesitamos decir y el valor necesario para hacerlo.

5 Líderes en todas partes

En un clásico de los estudios de psicología una maestra de primaria y un profesor de universidad se unen para explorar cómo afectan las expectativas al resultado. Para llevarlo a cabo repartieron tests de inteligencia entre alumnos californianos de primero a sexto curso. Comunicaron a los profesores que algunos eran muy prometedores —un 20 por ciento aproximadamente— y que se podía esperar grandes progresos de ellos. Al final del curso estas predicciones resultaron ciertas. Los coeficientes de inteligencia de los alumnos nominados mejoraron más que los del resto. Pero, como en todos los buenos estudios de psicología, había una trampa. Esos «alumnos de gran potencial» habían sido elegidos al azar. Lo que acabó conociéndose como el efecto Pigmalión probaba que no son las habilidades innatas las que influyen en el resultado, sino las expectativas. No importa quién tenga talento o esté mejor dotado. Si las expectativas son altas habrá más posibilidades de que se cumplan.

El talento, la energía, la perspicacia y las posibilidades de cualquier organización dependen de las personas que la forman. De ellos proceden todas las ideas, ellos son nuestro mejor sistema de detección preventiva. Todos los riesgos y todas las oportunidades dependen de los recursos humanos. En las culturas de trabajo justas nadie necesita permiso para ser creativo o valiente. Pero sí necesitan apoyo, ánimo y confianza.

Elevar las expectativas nos lleva a cotas superiores

Tras la publicación de los experimentos del efecto Pigmalión, los investigadores que siguieron sus pasos no pudieron evitar preguntarse si sucedería los mismo con las personas adultas. ¿Sería posible hacer que un equipo fuera más productivo simplemente esperando más de ellos? Dos investigadores israelíes, Reuven Stern y Dov Eden, experimentaron con mil hombres que pertenecían a veintinueve batallones del ejército. Stern se reunió con el jefe de cada batallón y les explicó que era posible predecir las dotes de mando de los soldados según las puntuaciones que habían obtenido en las pruebas. Escogió a algunos de ellos en particular para decirles que los resultados de su grupo indicaban un potencial excepcionalmente alto. No se destacó a ninguno de los individuos. Era el grupo en sí el que prometía. Y de nuevo esos batallones habían sido elegidos al azar.

Como era de esperar, los grupos que habían sido declarados excepcionales resultaron serlo. Elevar las expectativas de los soldados resultó en una mejora mínima del 20 por ciento en su rendimiento. Es más, «el efecto Pigmalión no es algo de lo que se benefician unos en detrimento de otros. Es un don que todos pueden compartir». Nadie tuvo que fracasar para que otros tuvieran éxito.

Ninguno de los soldados partía siendo no apto para el servicio, ni estando descontento o desmotivado, de modo que había una base sólida de compromiso y adecuación con la que trabajar. Pero este estudio desafía a las organizaciones de todo el mundo a plantearse cómo gestionan y evalúan el talento. Normalmente identificamos el talento y el potencial valiéndonos de los currículos, entrevistas, pruebas psicotécnicas y análisis de conducta. Pero el hecho de otorgar un «gran potencial» a unos pocos ejecutivos exclusivamente tal vez no sea más que una profecía que se cumple por sí sola. Si estos individuos reciben atención especial, adiestramiento y apoyo, obviamente destacarán del resto. Pero merece la pena tener en cuenta el mensaje que enviamos al resto: vosotros carecéis de potencial.

Olvidaos del ranking forzado

Hay muchas organizaciones que desarman gran parte de su fuerza laboral aplicando procesos que crean un efecto Pigmalión inverso. El más extendido es el ranking forzado, un ejercicio en el que cada seis o doce meses se evalúa al total de los empleados y se los divide en tres grupos diferentes: el primero es el de los prodigios, que engloba del 10 al 20 por ciento; el segundo es el de los incompetentes, que supone también del 10 al 20 por ciento; y el tercero lo forma el resto de la plantilla. No hace falta ser un experto matemático para ver que en este sistema el número de perdedores supera con creces al de ganadores. A los que están en el grupo superior les encanta, porque se confirma su talento, capacidad de liderazgo y que pueden conseguirlo todo. No es sorprendente que tiendan a estar a la altura de las expectativas y se sientan responsables por esa organización que destaca su importancia.

¿Qué pasa con el resto? A los del grupo de abajo se los anima claramente a desentenderse y abandonar el barco —según ciertos jefes esto es un acto de generosidad—. Pero aquellos que se encuentran en el grupo del medio, conformado por la mayoría de los empleados, se quedan estancados. Muy pocos de los de arriba quieren hacer de mentores, porque eso supondría poner en peligro su propio estatus. Tus iguales tampoco están dispuestos a ayudarte ni apoyarte, precisamente por esa misma razón. Pero tal vez lo más significativo sea que esta segregación de los «mejores» nos manda un mensaje muy desalentador: ellos son los líderes, tú no. El progreso de unos pocos supone la pasividad y apatía del resto. Esta, obviamente, no es la intención, pero sí es su consecuencia. ¿Por qué preocuparse por un sistema al que tú no pareces importarle en absoluto?

La mayoría de las multinacionales más grandes del mundo clasifican a sus empleados por orden de importancia con la esperanza de apelar a sus instintos competitivos y mejorar sus niveles de productividad. Pero la rea-

lidad es que ese sistema desactiva a la mayoría de la plantilla y hace llegar un mensaje muy negativo: no eres un líder. Si pensamos en Pigmalión, a esto lo podríamos llamar el efecto Galatea. Cogemos el talento humano personificado y lo reducimos a meras estatuas.

La mayoría de las organizaciones invierten más dinero en erradicar a los trabajadores menos destacados que en cultivar una cultura de logros compartidos. Las herramientas generalizadas de apreciación, evaluación y clasificación otorgan una ilusión de control, una forma consoladora de enfrentarse a la holgazanería. Pero se han preocupado demasiado por solucionar el problema menos importante, mientras ignoraban el mayor de ellos. Si das la vuelta a la tortilla y te centras en liberar el talento y celebrarlo es previsible que obtengas resultados diametralmente opuestos.

El ranking forzoso crea una jerarquía visible y palpable que inhibe la buena voluntad y la toma de responsabilidades, que son precisamente las cualidades más valiosas en organizaciones que se basan en la creación y la colaboración. Devalúan el capital social directamente. Así que resultó muy significativo que uno de los pioneros en defenderlo desde sus comienzos decidiera finalmente abandonarlo, que es lo que hizo Microsoft en el año 2013. A Satya Nadella, nuevo CEO de la empresa, le parece de vital importancia para sus objetivos hacer todo lo posible por fomentar un tipo de valores diferente al que han llamado «One Microsoft», en el que todos, no solo unos pocos, son uno a la hora de sentirse activos, dedicados y responsables.

«La cultura de una empresa es lo más importante —dijo Nadella—. Por eso mismo intento conocer a todos los becarios nuevos que contratamos. ¡Ellos son el alma de esta compañía! Y siempre doy la lata con que los jefes estamos para servir a los trabajadores. Tenemos que conseguir que los que están en la base no sufran abusos de nadie. Tenemos que estar en contacto con todos ellos. Hay que conseguir que todos ofrezcan lo mejor de sí mismos».

El poder simbólico de eliminar los rankings forzosos no pasó desapercibido para nadie. Nadella se enfrenta ahora a un desafío mayor: cómo emocionar y motivar a todos y cada uno de sus empleados en una empresa enorme repleta de individuos ambiciosos y llenos de talento. No está solo. La mayoría de las empresas globales han emprendido programas que responden a ese mismo concepto de unión, ya se trate de bancos, tiendas o aseguradoras, con el objetivo común de agrupar todo el talento, derribar los muros de la compartimentalización y el feudalismo y liberar las aptitudes de cada uno de los empleados. Algo que podría ser más simple de lo que muchos perciben.

Los líderes creen

Cuando Google lanzó su programa de búsqueda y procesamiento de datos para determinar las características de sus mejores jefes, muchos de los implicados en Project Oxygen pensaron que el conocimiento técnico encabezaría la lista. Pero tan solo ocupaba el octavo lugar entre las cualidades principales. Lo que realmente importaba a los empleados era trabajar con compañeros que creyeran en ellos, se preocuparan por ellos y se interesaran por sus vidas y sus carreras. Y lo más sorprendente es que preferían tener jefes que les ayudaran a resolver los problemas por sí mismos, no a base de dar respuestas, sino formulando preguntas. Ofrecer respuestas zanja la conversación e implica un sentimiento de superioridad, pero cuando te preguntan algo para intentar llegar a una solución te muestran su confianza, te transmiten que puedes resolverlo por ti mismo, que solo necesitas un empujoncito. Una vez más las preguntas dan con las soluciones y la conectividad social hace que crezca la motivación.

Creer en el personal que trabaja contigo es efectivo porque eso les da la confianza necesaria para perseverar ante las dificultades. Al hacer esto, desarrollan una forma de eficiencia autónoma. La experiencia les enseña que pueden conseguir sus objetivos. Una vez que se confía en ellos, aprenden a confiar en sí mismos. Si el sistema te ayuda es más probable que asumas la responsabilidad que te toca. El apoyo, la ayuda, el patronazgo y el liderazgo se retroalimentan mutuamente.

Cuando los ejecutivos creen que lo único importante son los conocimientos específicos y la omnisciencia dan la impresión de no preocuparse por quienes están a su alrededor. Conocí a un jefe excelente que se interesaba mucho por todos los miembros de su equipo, por sus familias, por sus sueños y esperanzas, tanto profesionales como personales. Pero le parecía algo trivial, de modo que nunca lo demostraba. Cuando cambió de actitud respondieron de manera espectacular. Al ser tratados como seres humanos, su equipo se desvivió más por el trabajo y pusieron a su disposición toda la energía, imaginación e ideas con las que contaban. Los experimentos Pigmalión y los datos de Google son la prueba de que mostrar la confianza que tienes en tus empleados es una de las formas más fáciles de conseguir grandes resultados. Aprécialos. Conócelos. Compréndelos. Demuéstrales que te importan. Dedícales el tiempo necesario. Es tan sencillo como parece.

Llevo toda mi vida laboral viendo cómo las empresas se esfuerzan por reestructurarse, reinventarse y reorganizarse para que las ideas y las energías fluyan. Esto siempre implica eliminar a aquellos sujetos a los que en inglés denominamos eufemísticamente «madera muerta». ¿Pero realmente estaban muertos? ¿Eran muertos esos empleados que contrató la empresa para trabajar en ella? Por supuesto que no. Pero la falta de tiempo, atención y preocupación mató el interés y el talento con el que empezaron.

Distribuir el poder

Cuando describí el funcionamiento del ranking forzoso a los ingenieros de Arup, sus rostros de sorpresa hablaban por sí solos. Comprendían el concepto a la perfección, pero no les cabía en la cabeza que eso pudiera ser productivo. Arup es una de las empresas de ingeniería arquitectónica más exitosas del mundo. Cuentan entre sus logros con el estadio olímpico «Nido de pájaro» de Pekín, el «Rallador de queso» de Londres, el puente más largo de Australia y un edificio con una fachada bio-reactiva en Hamburgo, construcciones que están a la vanguardia de la inventiva humana. En sus sesenta y nueve años de existencia esta empresa jamás ha perdido dinero, no ha tenido que pedir préstamos, ni hacer reducción alguna. Terry Hill trabaja en Arup desde hace treinta años. Dice que gran parte del éxito de la empresa siempre ha residido en la reducción de las jerarquías.

«Antes de llegar a Arup trabajé con contratistas que seguían unas jerarquías inflexibles. Pero aquí confiaban en mí y se me permitía dedicarme a mi labor. Cuando volví de las vacaciones, el tipo para el que había estado trabajando se ofreció para formar parte de mi equipo. ¡Había sido mi jefe en el primer proyecto y en el siguiente pasé yo a ser jefe suyo!»

En Arup esa flexibilidad es bastante habitual. Los equipos se forman según los conocimientos que el trabajo requiera y las aptitudes que cada uno desee desarrollar. Hill me contó que una de las ingenieras pasó de construir rascacielos en Londres a planificar desarrollo sostenible en África. Ella quería aprender nuevas competencias y la empresa aumentaba su potencial al tiempo que la ayudaba a conseguir sus objetivos. En Arup el éxito no se basa en un ascenso en la escala social, sino en la creación de una infraestructura difusa en la que encontramos líderes por todas partes.

«No contratamos personal para cubrir puestos vacantes», me dijo Phil Hood. «Ni siquiera tenemos descripciones de los empleos. Se nos da bien tener manga ancha. Hay mucha disciplina y elaboración en el qué de lo que hacemos, pero intentamos que el cómo se mantenga tan abierto como sea posible.

Compartir el almuerzo con un equipo de ingenieros de Arup no tiene nada que ver con las experiencias que he vivido en otras empresas. Lo más llamativo no es el entusiasmo espontáneo con el que las personas hablan de su trabajo, o esa encantadora ausencia de preparación para dirigirse a los medios de comunicación. Hay una correspondencia absoluta entre el contenido y la forma de lo que describen. Los temas de conversación pasan de uno a otro sin esfuerzo alguno, dependiendo de quién tenga más experiencia o perspectiva sobre cada asunto. En lugar de jerarquía, lo que observo es heterarquía, una estructura informal que cambia según las necesidades.

La idea central de esta heterarquía es creer en la importancia de todos los individuos. Así como el propio cerebro humano no es jerárquico, ya que sus diferentes áreas y cualidades se combinan de manera diferente según la tarea a realizar, en las organizaciones creativas cada uno de los individuos cuenta por sí mismo. Para conseguir un equipo sobresaliente no conviene realizar una categorización que resalte la individualidad, sino hacer que todos se sientan importantes. Respetad las corrientes que emanan de las aptitudes, no de los cargos. Cuando se trabaja asumiendo que cada individuo cuenta por igual, todos empiezan a aportar más individualmente. Esto no significa que todos hacen de todo, puesto que el conocimiento y la especialización tienen gran importancia, sino que el liderazgo es fluido.

La mejor idea lidera el proyecto

Todos cuentan. En compañías como Morning Star, líder mundial en la industria de derivados del tomate, lo dicen con otras palabras, pero la idea es la misma. Nadie tiene título, rango, ni privilegios. Quien se encarga de la dirección de proyectos o problemas es la persona que esté más capacitada para encontrar la mejor solución en ese momento. En Gripple, una empresa manufacturera británica, predomina el mismo espíritu. El CEO ocupa un asiento junto al resto de la plantilla y la única descripción para todos los puestos de trabajo es simple: coge la pelota antes de que caiga al suelo. Jim Henson solía invitar al conserje a las reuniones. La ausencia de jerarquías, de descripciones formales de los puestos de trabajo, está diseñada deliberadamente para que todos se sientan responsables y ofrezcan lo mejor de sí mismos.

En una de mis visitas a Arup pregunté a los ingenieros si hay algún rasgo distintivo común a todas las oficinas que tienen alrededor del mundo.

«Que no sabrías diferenciar a un director de su subordinado —dijo uno de ellos—. Cada oficina es diferente. Pero en todas ellas verás a personas que trabajan sentadas alrededor de una mesa y no tendrías ni la más remota idea de quién es el jefe».

Las jerarquías facilitan que unos pocos adquieran poder y el resto delegue en ellos o se borre directamente. Pero en las organizaciones de trabajo que luchan por reducir el orden piramidal, se anima a todos a que se sientan líderes, a que sean capaces de tener éxito por sí mismos y de ayudar a que los demás consigan sus logros. Cuando la organización llega a ese punto se acerca a encontrar el sagrado grial del trabajo en equipo: la responsabilidad mutua. Si sé que puedo tener éxito entre personas que conozco, en las que confío y a las que aprecio, ¿por qué iba a dejarlos en la estacada?

El poder de desprenderse del poder

En 1989 el protocolo de Montreal exigió la retirada de los CFC, una vez demostrado que los clorofluorocarbonos eran responsables del agujero en la capa de ozono que hay en el Antártico. Los CFC suponían una industria enorme y se usaban en sistemas de refrigeración, aerosoles, coches y muchos procesos de manufactura. De modo que se produjo una carrera para crear una alternativa que pudiera remplazar rápidamente el uso de esos químicos prohibidos. A la edad de treinta y nueve años, Geoff Tudhope, director general del departamento de fluoroquímicos de ICI, se enfrentaba a un reto enorme, sobre todo porque carecía de los conocimientos técnicos necesarios.

«No soy químico, ni ingeniero, sino licenciado en Derecho —me dijo Tudhope—. De modo que tenía que ejercer la dirección de una manera muy cuidadosa. Sabía que habíamos conseguido buenos resultados en este campo y que teníamos gente capacitada. Pero yo tendría que liderarlos desde la perspectiva humana».

Tudhope, ayudado por Frank Maslen, su jefe del departamento de ingeniería, sabía que la escala de ese desafío en el campo de la química y una urgencia en el calendario sin precedentes, significaban que la empresa estaba obligada a pensar y actuar de una manera diferente.

«No sabíamos si seríamos capaces de hacerlo, ni nosotros, ni nadie —recordaba Tudhope—. Pero Maslen vino y me dijo tres cosas. Lo primero que quiero probar es esto: En este equipo no habrá ninguna estrella. Todos somos meros científicos. Nadie hará sombra a nadie y se tendrá en cuenta el punto de vista de todos por igual. Y segundo, trabajaremos con un único estándar, el mejor posible. Después, añadió una última cosa. Me dijo que tendría que dejarlos trabajar a su aire».

Tudhope captó el mensaje. Sabía que, en lo que concierne a la innovación, el poder puede ser perjudicial y destructivo. Y compartía la visión de Maslen de que la urgencia y la escala de aquel reto eran tan excepcionales que no podían permitirse desperdiciar ni una sola voz, talento o idea. Tenían que contar con todos. La función de Tudhope era asegurarse de que aquel equipo se atuviera a los principios según los cuales había sido creado.

«Estaba atento al lenguaje corporal para comprobar que todos tuvieran voz y voto. Asistía a las reuniones como simple observador y permanecía a la escucha. ¿Había indicios de que se marginara o dejara de lado a alguien? ¿Alguno de ellos se quedaba callado? Pero no sucedía nada de esto. «Incluso las mujeres —contamos con varias científicas en el equipo— estaban allí dándolo todo. Derrochaban energía y sinceridad. Todos y cada uno de ellos».

Tudhope carecía de conocimientos en ese campo y había decidido no intervenir, pero no se quedó de brazos cruzados. Protegía al equipo, asegurándose de que cumplían con los estándares acordados de confianza e imparcialidad, y también informando a sus superiores para que el grupo gozara de plena libertad. Al mostrar gran confianza en ellos e interferir lo mínimo se obtuvieron resultados impresionantes. El Protocolo de Montreal, el acuerdo internacional sobre medio ambiente más exitoso hasta la fecha, había puesto el año 1996 como fecha límite para la eliminación de los CFC. El equipo de Tudhope tuvo lista su alternativa en el año 1994.

«Desarrollamos la nueva tecnología antes que todos nuestros competidores, incluido Dupont, y obtuvimos el 40 por ciento del mercado estadounidense empezando desde cero, consiguiendo que la Royal Academy of Engineering nos galardonara con el premio MacRobert en 1993. Fue un logro extraordinario, basado en la confianza, el trabajo en equipo, y la emoción de atreverse a elevar los estándares hasta el máximo imaginable. Y para mí supuso también un aprendizaje increíble».

El problema del poder

«Yo creo que cuanto más poder otorgas, más tienes, porque cuando confías en las personas y les cedes el mando se responsabilizan de él y no te decepcionan —me escribió Paul Harris—. Cuando juzgo la administración de una empresa no me guío por el número de empleados que tienen bajo su control, sino por la cantidad de personal liberado. Nunca he aprendido nada de alguien que opine lo mismo que yo, así que mi actitud es la de esperar que todos me hablen con franqueza, aunque su opinión difiera de la mía o de sus superiores».

Harris ha sido CEO y cofundador del banco FirstRand en Sudáfrica y aunque es rico, su tema de conversación favorito no es el dinero ni la posición social. Su principal motivación es que todas las personas se traten como iguales. Él no cree que tenga a gente trabajando para él, sino personas con las que trabaja.

FirstRand es conocido en el sur de África como un medio innovador y digno de confianza. Ya en el año 2000 introdujo un sistema de pago electrónico que unió a compradores y vendedores y fue pionero en el uso de los teléfonos móviles para realizar transacciones bancarias. Harris insiste en que esta innovación se debe a la libertad y el talento de toda la organización. Cuando hablas con él es inevitable sentir que su compromiso con la igualdad entre los seres humanos es algo estrictamente personal. Pero también se percata de que las jerarquías rígidas tienen problemas operativos. La información no fluye de la cima hasta la base y la crítica al poder se convierte en un juego improductivo y complejo. Ese fue el motivo por el que Geoff Tudhope accedió a no inmiscuirse en la búsqueda de la alternativa al CFC. Era consciente de que su posición podía arruinar la investigación.

Tal vez haya quien piense que el poder es un premio o un privilegio, pero supone un problema, y cuanto más rígida es la jerarquía, mayores son los riesgos. La mayoría de las recompensas que ofrece el poder suponen un aislamiento en sí mismas. El jet privado, los asientos de primera clase, la limusina o el despacho en la esquina del edificio, te encierran entre sus paredes, carecen de membranas porosas. Y el poder transforma a las personas.

Los sujetos poderosos que controlan los recursos tienden a no prestar mucha atención a quienes detentan menos poder. Está demostrado que tienen menos capacidad para apreciar las perspectivas emocionales, visuales y cognitivas de los demás, con lo que sus juicios pueden ser menos acertados y su comprensión relativamente superficial. La imaginería cerebral ha demostrado recientemente que aquellos que ostentan poder son menos receptivos ante los demás. He aquí la paradoja del poder: necesitamos que los líderes muestren su aprecio por los demás, pero muchas veces no están capacitados para hacerlo.

«Supongo que podría preguntarles su opinión», admitió ante mí a regañadientes el jefe de operaciones de cierta empresa. Estaba frustrado por la falta de coherencia y energía que veía en su multinacional y era consciente de que encontraría las respuestas que buscaba en el excelente personal con el que contaba. Él mismo los evaluaba y sabía cuánto les importaba la compañía. Pero no se atrevía a pedirles ayuda. Se supone que los líderes tienen que saber todas las respuestas, ¿no? Al dar por hecho que un líder tiene que ser omnisciente, se veía atrapado bajo un peso del que no podía desprenderse él solo.

El poder, como las mejores ideas, revela todo su potencial cuando se cede a otras personas. Si ese jefe de operaciones hubiera pedido ayuda, habría captado a todas esas mentes brillantes y jóvenes con las que quería contar y se habría deshecho de la jerarquía y la compartimentalización que lo inmovilizaban. Tal como le sucedió a Geoff Tudhope en ICI, cuanto más poder otorgas a quienes te rodean, más posibilidades tienes de que acudan a ti para pulir una idea excelente o localizar un riesgo incipiente.

A pesar de que nuestra cultura suele celebrar a los líderes como si fueran heroicos solistas, la mayoría de los CEO reconocen que dependen de que sus acólitos se pongan en pie, alcen la voz y rebusquen en lo más profundo de sus organizaciones para que aparezcan la información y las personas necesarias para sus proyectos. Podríamos imaginar que las grandes organizaciones están dirigidas individualmente por genios superdotados y carismáticos, pero una empresa realmente creativa, flexible y relevante no concentra el poder en las alturas de los edificios ni en los superiores jerárquicos. Ni siquiera Steve Jobs, el icono mítico del CEO superestrella, ha resultado ser el único artífice en la maestría de diseño de su compañía.

«Se produce el error generalizado de creer que si los productos Apple tienen mejor diseño, son mejores a nivel usuario, más sexy, o lo que quieras... es porque tienen el mejor equipo de diseñadores del mundo —dice Mark Kawano, quien fue diseñador de Apple—. Pero allí todos piensan en la experiencia del usuario, no solo los diseñadores. La razón por la que la estructura funciona no es que haya un orden de arriba-abajo. Es un orden que se mueve en todas direcciones. Todos muestran su interés».

Lidera sin que importe tu posición

Las jerarquías crean abismos que las demás personas contemplan sin saber cómo cruzarlos. A un lado están los jefes, que se sienten solos, desconectados, aislados por el peso del poder. Al otro lado hay una serie de individuos llenos de ideas, conocimientos, nuevas visiones y energía. Están esperando a que les den permiso, una señal que les confirme que pueden ponerse en pie, ofrecer su ayuda, tomar las riendas. No estoy seguro de que deba hacer algo, me dicen algunos. Nadie me lo ha pedido. Yo no soy el líder. Ese no es mi cometido...

Tal vez no sea tu cometido, pero sí es tu vida. La mayoría de las personas pasa unas cien mil horas trabajando. Es demasiado tiempo para quedarte estancado con ideas que no encuentran una salida. Incluso aunque trabajes bajo unas jerarquías rígidas, siempre hay una forma de romperlas, de hacer lugar a tu aportación. Una de las culturas de trabajo más jerárquicas del mundo es la medicina. Está ampliamente aceptado que en la carrera de medicina hay una «asignatura oculta» en la que se enseña un orden jerárquico por el cual prevalece siempre la decisión del médico de mayor rango, aunque sea equivocada. Esa larga y cara educación a la que se unen un salario y factor de riesgo altos, pone a los médicos en un pedestal, pero que la mala decisión de un doctor con estatus se imponga a una buena que procede de uno más joven resulta peligroso para los pacientes. Por ese motivo se inventaron las listas de comprobación.

Los hospitales más importantes descubrieron que aplicando estas listas de verificación durante las operaciones complejas las muertes y complicaciones se reducían en más de un tercio. Esto se debe en parte a que gracias a ellas los facultativos exhaustos pueden recordar detalles decisivos. (Normalmente, antes de cada operación se pide a los miembros del equipo que se presenten entre ellos. Tampoco denota un nivel de capital social muy elevado, pero algo es algo). Aunque su poder verdadero reside en que alteraron el orden jerárquico. Ya no importaba el rango que tuvieras, porque la lista de comprobación siempre mandaba. No es nada infrecuente que el miembro del equipo con menos experiencia sea el encargado de llevar la lista. Este pequeño mecanismo (porque representaba un acuerdo de requisitos básicos) consiguió dar al traste con esas tradicionales estructuras de poder tan fuertemente   arraigadas.

Los médicos desarrollaron este sistema de verificación con la ayuda de sus colegas de la industria de la aviación, que a su vez lo habían heredado de W. Edwards Deming, un estadístico que trabajó en Japón en los años cincuenta. Su trabajo se centraba en el negocio manufacturero y argumentaba que había que eliminar las barreras entre el personal de la plantilla, acabar con el miedo y deshacerse de las clasificaciones anuales y los sistemas de evaluación. El mensaje que quería transmitir Deming era simple: Nadie debería tener que pedir permiso para responsabilizarse de su trabajo. Eso es lo que promueven las listas de comprobación. Se hacen con el poder de unos pocos y lo distribuyen entre muchos. Ofrecen el mando a todos y cada uno.

Hackathons

Toda empresa tiene sus crisis, un momento en el que los métodos de trabajo ya no parecen pertinentes o efectivos. La mayoría de compañías responden de dos formas diferentes. O bien el CEO se retira —por lo general solo, o junto a algunos de los subordinados en quienes confía— para idear toda una nueva estructura y visión que después va bajando por la empinada escalera de la jerarquía. O se contrata a una consultora externa para idear una solución con la esperanza de que su objetividad (o ignorancia) exponga los viejos problemas ante una nueva luz. Ambos escenarios presentan a unos pocos seres excepcionales a los que se carga con unas expectativas y esperanzas poco realistas que suelen acabar fracasando.

Pero nadie puede estar más implicado en una organización que las personas que trabajan en ella. Cada día ven cosas que podrían hacerse mejor, o no hacerse en absoluto. La industria de la informática ideó los *hackathons* como procesos en los cuales se reunía a un gran número de programadores para colaborar sin parar durante un breve período de tiempo con el objetivo de diseñar o mejorar nuevos productos o plataformas. Hoy día ese proceso se usa para todo tipo de sistemas. Cuando John Lasseter, de Pixar, pensó que la empresa empezaba a resultar demasiado cara y difícil de manejar, organizó un hackathon para obtener ideas que, según afirma, revitalizaron la compañía. En el 2011 el gobierno de los Estados Unidos celebró uno para conseguir ideas que mejorasen las agencias federales. De igual modo, los colegios los han usado para optimizar los planes de estudios y los científicos para aunar diferentes disciplinas. En Gran Bretaña hay pequeñas comunidades que se han servido de ellos para determinar el futuro de sus pueblos. El objetivo es conseguir que el máximo número de cerebros se concentre en una materia, desafío o problema determinado durante un período de tiempo específico. Son procesos rápidos, frenéticos, y en cierto modo, divertidos.

Es vital que estas maratones estén estructuradas y sean específicas y prácticas. Lo normal es que se centren en un problema definido del negocio: costes, utilización del tiempo, cultura de empresa. Los grupos trabajan codo con codo (a veces físicamente, otras virtualmente) para desmenuzar propuestas prácticas que están encaminadas a la resolución del problema. El tiempo siempre es limitado y los participantes deciden en qué quieren trabajar. Los líderes de mayor rango pueden estructurar las jornadas, pero no participan en ellas. El objetivo es crear una apertura total que permita un intercambio rápido y frenético de ideas y visiones diferentes. Al cabo de uno o dos días cada uno de los grupos presenta las propuestas prácticas que están dispuestos a defender personalmente.

En el último al que asistí, todo una unidad de negocio dejó de trabajar durante un día completo para centrarse en sí misma. Antes de reunirse cada uno de ellos había aportado temas e ideas, algunas de las cuales se planteaban como grandes interrogantes: ¿Por qué no podemos hacerlo? ¿Y si pudiéramos? Cambiaron de grupo cada hora hasta que al final del día habían acometido el mismo desafío desde múltiples perspectivas con diversos colegas de toda la empresa, muchos de los cuales jamás habían hablado entre ellos. Lo que salió de ahí fue una extensa y profunda ruta para el cambio: práctica, original y que se apoyaba en buenas dosis de energía y compromiso. En un solo día esa organización pasó de mostrarse descontenta, susceptible e imperfecta, a gozar de una revitalizada sensación de éxito y posibilidad.

Empresas como Pixar, Publicis, Grant Thornton, Leeds Teaching Hospitals NHS Trust o FactSet, usan este método para escarbar en las profundidades de sus organizaciones en busca de nuevas ideas y visiones. Reducen las rivalidades internas y generan confianza entre líderes que se muestran distantes y en ocasiones competitivos. Cuando funcionan a pleno rendimiento aflora esa sencilla virtud que define a toda gran organización: un conjunto de personas diferentes con cabezas bien amuebladas trabajando en un mismo espacio y tiempo con el valor y la seguridad para mostrarse en desacuerdo. ¿Qué resultados se obtienen? No solo soluciones, sino también el capital social necesario para llevarlas a cabo.

Y de estos hackatons maratonianos surgen unos líderes que no identificamos gracias a sus títulos ni estatus. Son las personas que emergen de las culturas de empresa justas, personas que piensan por sí mismas. Una vez que aceptas que todos tus empleados tienen algún don, aparecen líderes por todas partes. No solo sacan el trabajo adelante, sino que piensan en cómo hacerlo, si es necesario hacerlo y en qué podría mejorarse. Reflexionan junto al resto del equipo y dicen lo que piensan, están dispuestos a escuchar y abiertos al cambio. Esto resulta más sencillo cuando dispones de una experiencia vital rica, la habilidad de escuchar, el tiempo para concentrarte, una mente privilegiada en la que mirarte y el capital social para que tu voz sea escuchada. Este tipo de líderes saben que su triunfo depende de los logros de los demás y que ese éxito compartido, la alegría, la fuerza y la devoción que inspiran es algo que perdura y se renueva más allá de lo medible.

Es probable que a estas alturas el lector atento haya identificado ciertas contradicciones intrínsecas a la creación de una cultura organizacional fuerte. Necesitas descanso, pero también una mente despierta. La concentración y la atención son tan vitales como salir al mundo exterior y darse una vuelta. Los especialistas y el conocimiento son importantes, pero las jerarquías suponen un impedimento. Hay que aprender a pensar por uno mismo y también a hacerlo en equipo. Es importante decir las cosas, pero tiene que haber alguien que guarde silencio y permanezca atento.

Este libro no proporciona una receta sencilla para el éxito. No hay cinco costumbres, seis habilidades o siete comportamientos que garanticen el éxito instantáneo. Y esto es algo deliberado, ya que el liderazgo de empresa es demasiado complejo y se ve afectado por demasiadas contingencias como para reducirlo a un manual de instrucciones. Aquellos que busquen uno verán aumentadas sus frustraciones, pero los que se ajusten a la dinámica crecerán personalmente. Las organizaciones son sistemas para los que no existe una mano de santo, pero sí son receptivas a las culturas justas que afectan a todos. Lo que acaba haciendo que surjan mentes flexibles que respondan al cambio con vigor e integridad es reconocer que necesitamos en igual medida el ruido y el silencio, los momentos de reflexión y los de acción, tener la capacidad de ver el potencial que encierra cada individuo al tiempo que generamos nuestro propio espacio de conocimiento.

Es fácil pensar que todo esto sea irrelevante en un futuro próximo. Algunos incluso lo esperarán ansiosamente. Los algoritmos remplazan mucha de la mano de obra y continuarán haciéndolo en mayor medida. Aumentan la eficacia, pero carecen de ideas. No pueden responder a las necesidades humanas con calidez y creatividad y tienen poco que ofrecer a modo de recompensa social. Eliminar las fricciones no equivale a crear una experiencia enriquecedora. Es mucho mejor marcarse como objetivo el aprovechamiento máximo de aquello que no podemos manufacturar: la inventiva y la conexión de los seres humanos.

Los más avezados también habrán percibido cierto subtexto. Estos pequeños cambios aquí descritos tienen un gran impacto en las grandes organizaciones, pero también en familias, relaciones sociales y comunidades de todo tipo. Aunque escribo principalmente sobre el mundo de los negocios, nunca me he circunscrito a ello, ya que todo trabajo se hace en el mundo y para el mundo. No me cabe la menor duda de los efectos catastróficos que tiene permitir que tu negocio se aleje del entorno social en el que opera. Lo que necesitamos no es una división extremadamente eficiente entre dos mundos, sino la flexibilidad mental para vivir a caballo entre uno y otro. La relación entre los negocios y la sociedad es uno de los debates más exigentes a los que nos enfrentamos y no se resolverá hasta que aceptemos que están interconectados y se necesitan uno a otro. Si alguien sale ganador en este debate, todos perderemos.

El propósito de la vida humana no es vivirla sin fallos ni fricciones, sino hacer crecer a los demás y crecer a través de ellos. Del mismo modo, el objetivo de una gran carrera laboral o de una organización no es la eliminación del error. Su objetivo es mantener una relación con el mundo cuya renovación se basa en que crece en la misma medida de lo que aporta. Y para ello necesitas todas las pequeñas cosas que la vida ofrece: silencio y ruido, acción y reflexión, concentración y diversión, tiempo, respeto, errores, invenciones, humildad y confianza en la habilidad que tiene el ser humano para recapacitar.

CAMBIO ENORME

Algo más...

Un complejo vacacional de Denver que quería motivar e inspirar a su equipo de atención al cliente ideó este simple mecanismo. Una vez que hayas cumplido con lo que te han pedido, pregúntate: ¿Puedes hacer algo más para dejar contentas a estas personas? En uno de los casos que citaban se reorientaba a transeúntes que se habían perdido, pero además de esto, les daban un tentempié y agua para que continuaran la ruta. En otro de ellos, un teleoperador hizo una lista con todos los medios alternativos para solucionar problemas recurrentes. Los empleados descubrieron que siempre podía hacerse algo más que marcaba la diferencia y esto era con lo que más disfrutaban, ya que se trataba de sus propias ideas.

De modo que la última cosa que quería añadir es esta sencilla pregunta: ¿Reconoces algún cambio pequeño que haya tenido gran impacto en tu trabajo? ¿Y en tu cultura? Deja que tu mente divague. Lo encontrarás. Y después, compártelo.

AGRADECIMIENTOS

Este libro supone un cúmulo tal de relaciones personales, errores, reflexiones e investigaciones a lo largo de tantos años que si tuviera que enumerarlos todos la lista llegaría a ser más larga que el propio texto. Así que me limitaré a dar las gracias a aquellos que han estimulado y desafiado mi forma de pensar durante estos últimos tiempos. De entre todos ellos, los más importantes son los ejecutivos con los que he trabajado alrededor del mundo. Observar los problemas a los que se enfrentan, compartir la ambigüedad, complejidad, frustraciones y placeres de sus trabajos, es un privilegio inconmensurable y agradezco la honestidad y generosidad que ha caracterizado nuestra labor conjunta. No ha hecho más que confirmar mi convicción en que las personas acuden al trabajo con la intención de mejorarlo.

También doy las gracias a mis mentores en Merryck & Co., que han apoyado mi trabajo de manera enérgica y han soportado unos horarios que a menudo resultan frustrantes. Sus ideas, experiencias y amplitud de miras siempre me han inspirado y es una suerte poder disfrutar de esa amplia variedad de colegas lúcidos y afectuosos.

Muchas de las organizaciones con las que he trabajado se han mostrado excepcionalmente abiertos conmigo y les estaré eternamente agradecida por ello. Quisiera dar las gracias particularmente a Severin Schwan, Silvia Ayyoubi, Margaret Greenleaf y Dina Sabry Fivaz. Nuestras conversaciones me han hecho reflexionar mucho. Verónica Hope-Hailey y Christos Pitelis, de la Universidad de Bath, han supuesto unos interlocutores y compañeros excelentes. Footdown, la Academia de Altos Ejecutivos (*Academy of Chief Executives*), Arup y la ONG King's Fund me proporcionaron un foro abierto y sincero en el que explorar ideas, sobre todo en cuanto respecta a la importancia del poder y el capital social. Estoy en deuda con Hugh Levinson, Gemma Newby y Helena Morrison, de la BBC, por su ayuda en la investigación del concepto de cultura justa. Ben Alcott, Scilla Elworthy, Adam Grant, Verne Harnish, Peter Hawkins, Cathy James, Donald Low y Maria Lepore han sido unos fantásticos y generosos compañeros de reflexiones. La última idea de este libro se la debo concretamente a Cindy Solomon, cuya cruda visión del mundo de las multinacionales siempre ha sido original y revitalizante. Jenni Waugh demostró una enorme paciencia con personas e ideas que espero que den sus frutos, mientras que Stephanie Cooper-Lande se las ingenió para ajustar mis horarios y darme tiempo para escribir. Y, como siempre, estoy en deuda con mi agente, Natasha Fairweather, por hacer que mi trabajo como escritora sea un poco menos solitario.

Este libro no habría llegado a escribirse sin el apoyo entusiasta y los ánimos recibidos por parte del formidable equipo de TED. Me gustaría darles las gracias particularmente a Juliet Blake y June Cohen, con quienes permaneceré siempre en deuda por su defensa de mi trabajo. Y en una época en la que se celebra la eficiencia a expensas del diálogo, me gustaría dar las gracias a Michelle Quint, que goza de un instinto editorial agudo y sagaz.

Todos los libros cabalgan a lomos de la familia del autor, y este más si cabe. Jamás llegaré a saber por qué Lindsay, Felix y Leonora toleraron la anulación de sus vacaciones de verano y multitud de fines de semana, pero espero que tengan la sensación de que ha merecido la pena, si es que esto puede cuantificarse. Estoy obligada a hacerles saber cuánto les debo, no solo por su paciencia, sino por su disposición para escuchar y argumentar conmigo.

Este libro está dedicado a Pamela Merriam Esty, una colaboradora extraordinaria con el mejor espíritu de época que jamás haya encontrado. Mido con su patrón oro todos mis conocimientos acerca de la creatividad, y haber podido trabajar con ella ha sido una de las grandes alegrías de mi carrera profesional.

CAPÍTULO UNO

Scilla Elworthy, en su trabajo, *Pioneering the Possible: Awakened Leadership for a World That Works*, relata toda una vida de trabajo en constante transformación. Aquí podéis asistir también a su charla en TEDxExeter: http://www.ted.com/talks/scilla_elworthy_fighting_with_non_violence?language=en

El profesor Jan Hagen investigó los motivos por los que la mayoría de personas prefiere ocultar sus errores en la *European School of Management and Technology* de Berlín: http://reputabilityblog.blogspot.co.uk/2014/11/error-management-lessons-from-aviations.html

Descubrí el libro de errores de las bodegas Torres gracias a Verne Harnish.

El libro de Edwin Catmull, *Creatividad, S.A.* (Conecta, 2014) está repleto de ideas excelentes.

CAPÍTULO DOS

Thomas Malone dirige el *Center for Collective Intelligence* en el MIT. En este enlace podréis profundizar en su obra: http://cci.mit.edu. Aquí encontraréis el experimento del que hablo: http://www.sciencemag.org/content/330/6004/686.abstract. Estudios más recientes indican que este descubrimiento también es válido para la comunicación *online*.

Los trabajos de Alex Pentland están resumidos en un formato muy accesible en su libro *Social Physics: How Social Networks Can Make Us Smarter* (Penguin Books, 2015). Protagoniza una de las charlas TEDxBeaconStreet talk: https://www.youtube.com/watch?v=XAGBBt9RNbc. También ha escrito un excelente artículo al respecto, que podéis leer aquí: https://hbr.org/2012/04/the-new-science-of-building-great-teams

Richard Hackman ha pasado toda su vida estudiando el trabajo en equipo. En este enlace encontraréis un resumen de sus publicaciones: http://scholar.harvard.edu/rhackman/publications. Sus trabajos con grupos de inteligencia de la CIA son de obligada lectura, o al menos deberían serlo: https://fas.org/irp/dni/isb/analytic.pdf

Este artículo de Diana Coutu sobre los motivos por los que algunas veces los equipos no funcionan también es relevante: https://hbr.org/2009/05/why-teams-dont-work/ar/1

La predisposición es un campo de estudio que cada vez resulta más prolífico. Cualquiera de estos estudios os ayudará a profundizar en ello:

"Organizational Citizenship Behavior and The Quantity and Quality of Work Group Performance", de Phillip M. Podsakoff, M. Ahearne y S. B. MacKenzie: http://www.ncbi.nlm.nih.gov/pubmed/9109284

En castellano tenemos: Ares, A. y Gómez, F.: Conductas de Ciudadanía Organizacional y la Confianza en la Construcción de Equipos de Trabajo. Madrid: Escuela de Trabajo Social. (Universidad Complutense de Madrid, 2008); y Robbins, Stephen P. Comportamiento organizacional. (Pearson Educación, 2004)

"IDEO's Culture of Helping", de Teresa Amabile, Colin M. Fisher y Julianna Pillemer: https://hbr.org/2014/01/ideos-culture-of-helping/ar/1

Como referencia adicional, el libro de Adam Grant, *Dar y Recibir* (Gestión, 2014) es un antídoto inspirador contra la tradición que impera en los libros sobre negocios y dicta que «el hombre es un lobo para el hombre»

Este libro resulta una lectura esencial en cuanto a la generación de capital social: *How to Build a Motivated Research Group*, de Uri Alon. Está dirigido a la comunidad científica, pero le resultará valioso a cualquiera, ya que hace hincapié en la resolución de problemas difíciles a contrarreloj: http://www.cell.com/molecular-cell/abstract/S1097-2765(10)00040-7. Su charla TED también describe brillantemente la conexión entre miedo, riesgo e innovación: https://www.ted.com/talks/uri_alon_why_truly_innovative_science_demands_a_leap_into_the_unknown

CAPÍTULO 3

Actualmente existe una obra muy extensa acerca de los peligros de la polivalencia. Gran parte de ella está resumida en el capítulo 4 de mi anterior libro: *Willful Blindness*. En este mismo contexto resulta esencial el trabajo realizado por Chris Chabris y Daniel Simon respecto a la atención selectiva y los límites cognitivos, presentado de forma accesible en su libro *El gorila invisible* (RBA, 2011). Podéis encontrar un estudio más reciente en *Cognitive Control in Media Multitaskers*, de Eyal Ophir, Clifford Nass y Anthony D. Wagner: http://www.pnas.org/content/106/37/15583. Y también en *"A Comparison of the Cell Phone Driver and the Drunk Driver"*: http://www.distraction.gov/download/research-pdf/Comparison-of-CellPhone-Driver-Drunk-Driver.pdf

Además, Russell A. Poldrack ha escrito numerosos ensayos excelentes sobre los diferentes sistemas de memoria que coexisten en competición en el cerebro.

La fatiga también cuenta con infinidad de estudios. Ambos temas se exploran en el libro *Is Work Killing You?: A Doctor's Prescription for Treating Workplace Stress* (House of Anancy Press, 2013), del médico David Posen, y también en el capítulo 4 de *Willful Blindness*. Uno de los trabajos pioneros en este campo es *"Sleep Loss and 'Divergent' Thinking Ability"*, de J. A. Horne: http://www.journalsleep.org/articles/110604.pdf

La continuación al trabajo de Marianna Virtanen comenzada con el estudio de Michael Marmot sobre los funcionarios de Whitehall puede encontrarse en *"Long Working Hours and Cognitive Function"*: http://aje.oxfordjournals.org/content/169/5/596.full

Aquí tenéis el estudio sobre el tiempo de Leslie Perlow: http://faculty.washington.edu/ajko/teaching/insc541/reading/Perlow1999.pdf

La aversión a pensar y el poco tiempo que dedicamos a ello está cuantificada en datos por el gobierno estadounidense (http://www.bls.gov/tus/home.htm#data), analizada en un estudio científico disponible en http://www.sciencemag.org/content/345/6192/75, y relatada aquí: http://www.washingtonpost.com/news/to-your-health/wp/2014/07/03/most-men-would-rather-shock-themselves-than-be-alone-with-their-thoughts/

El tema de pasear como método de reflexión ha sido ampliamente explorado. Nilofer Merchant realizó una excelente charla TED sobre la idea de llevar a cabo una reunión de trabajo mientras se da un paseo: http://

www.ted.com/talks/nilofer_merchant_ got_a_meeting_take_a_walk?language=en. Puedes leer más sobre este tema en el artículo de Marily Oppezzo *"Give Your Ideas Some Legs"*: https://www.apa.org/ pubs/journals/releases/xlm-a0036577. pdf. También encontramos una profunda exploración al respecto en el libro *Redefine el éxito* (Aguilar, 2015), de Arianna Huffington.

David Comer Kidd y Emanuele Castano realizaron un estudio sobre los beneficios de leer literatura: http://www.sciencemag.org/ content/342/6156/377.abstract

CAPÍTULO CUATRO

Maria Konnikova defiende ingeniosamente sus argumentos contra las oficinas diáfanas en *"The Open Office Trap"*: http://www. newyorker.com/business/currency/ the-open-office-trap

La conferencia en la cual serví comida e hice de pinche fue organizada por Initiatives of Change at Caux. www.iofc.org

CAPÍTULO CINCO

Aquí se presentan las primeras muestras sobre el efecto Pigmalión en las aulas:

https://www.uni-muenster.de/imperia/ md/content/psyifp/aeechterhoff/

sommersemester2012/schlues selstudiendersozialpsychologiea/rosenthal_ jacobson_pygmalionclassroom_urbrev1968. pdf y también en el libro *Pygmalion in the classroom* (Crown House Publishing, 2003), de Robert Rosenthal y Lenore Jacobson. El estudio subsiguiente sobre las tropas israelíes podéis encontrarlo aquí: http:// psycnet.apa.org/?&fa=main.doiLanding& doi=10.1037/0021-9010.75.4.394

Teresa Amabile ha pasado toda una vida estudiando la creatividad en los niños, la educación y las organizaciones. Todos sus libros merecen una lectura. También ha realizado una charla sobre este tema en TEDxAtlanta talk on the subject: https:// www.youtube.com/watch?v=XD6N8bsjOEE

En el libro *Wilfull Blindness* analizo los efectos del poder en mayor profundidad, pero su influencia sobre la empatía está documentada aquí: http://www .michaelinzlicht.com/wp/wp-content/ uploads/downloads/2013/06/Hogeveen-Inzlicht-Obhi-in-press.pdf

La filosofía del diseño de Apple es abordada en "4 Myths About Apple Design, from an Ex-Apple Designer": http://www .fastcodesign.com/3030923/4-myths-about-apple-design-from-an-ex-apple-designer

SOBRE LA AUTORA

Margaret Heffernan es empresaria, directora ejecutiva y autora de *Wilfull Blindness*, citado por el *Financial Times* como uno de los mejores libros de negocios de la última década, y también de *A Bigger Prize*, que recibió el premio Transmisión Prize en el año 2015. Nacida en Texas, criada en los Países Bajos y educada en la Universidad de Cambridge, fue galardonada varias veces por su trabajo como productora para la BBC antes de regresar a Estados Unidos para dirigir varias empresas de multimedia. Escribe artículos para *Huffington Post* e *Inc.com*, aconseja a líderes empresariales y es docente en diferentes escuelas de negocios alrededor del mundo. Aquí podéis visitar su página web: www.mheffernan.com.

La charla de Margaret Heffernan, disponible gratuitamente en TED.com, es el complemento para *Más allá de lo medible*.

James Duncan Davidson/TED

CHARLAS RELACIONADAS EN TED.COM

Margaret Heffernan
Dare to disagree
La mayoría de las personas evita los conflictos instintivamente, pero como Margaret Heffernan nos enseña, el desacuerdo positivo es crucial para el progreso. Ofrece ejemplos de por qué los socios más adecuados no son quienes nos siguen la corriente y cómo en las mejores empresas, equipos de investigación y relaciones personales se permite mostrar un profundo desacuerdo.

Simon Sinek
How great leaders inspire action
Simon Sinek cuenta con un modelo sencillo pero poderoso para ejercer un liderazgo que inspire al resto. Este comienza con una pregunta escrita en letras de oro: «¿Por qué?». Entre sus ejemplos se incluyen Apple, Martin Luther King y los hermanos Wright.

Stanley McChrystal
Listen, learn . . . then lead
El general de cuatro estrellas Stanley McChrystal comparte lo que aprendió sobre el liderazgo durante varias décadas de servicio en el ejército. ¿Cómo construir un sentimiento de propósito común entre personas de tan variadas edades y cualidades técnicas? Escuchando, aprendiendo y reconociendo la posibilidad del fracaso.

Fields Wicker-Miurin
Learning from leadership's missing manual
Los manuales de liderazgo no existen, pero Fields Wicker-Maurin asegura que las historias de los líderes locales de mayor relevancia son lo más parecido que podemos encontrar y comparte con nosotros tres de ellas en una convención TED en Londres.

ACERCA DE LOS LIBROS TED

Los libros TED son libros pequeños con ideas grandes. Son lo bastante cortos como para leerlos de una sentada, pero lo bastante largos como para profundizar en un tema. Esta amplia serie abarca temas que van desde la arquitectura hasta la empresa, el viaje por el espacio y el amor, y es perfecta para aquel que tenga una mente curiosa y el deseo expansivo de aprender.

Cada libro TED se relaciona con una charla, disponible *online* en TED.com. El libro continúa a partir de donde acaba la charla. Una conferencia de 18 minutos puede plantar una semilla o acicatear la imaginación, pero muchas crean la necesidad de profundizar, aprender más, contar una historia más larga. Los libros TED satisfacen esta necesidad.

TED es una organización sin ánimo de lucro dedicada a la difusión de ideas, normalmente bajo la forma de charlas breves pero profundas (18 minutos o menos), pero también a través de libros, animación, programas de radio y eventos. TED nació en 1984 como una conferencia en la que convergían tecnología, ocio y diseño, y hoy día toca casi todos los campos, desde la ciencia a la empresa pasando por temas mundiales, en más de cien idiomas.

TED es una comunidad global, que da la bienvenida a personas de cualquier campo y cultura que quieren tener un conocimiento más profundo del mundo. Creemos apasionadamente en el poder que tienen las ideas para cambiar actitudes, vidas y, en última instancia, nuestro futuro. En TED.com construimos un almacén de conocimiento gratuito que ofrecen los pensadores más inspirados del mundo, y una comunidad de almas curiosas que pueden relacionarse unas con otras y con sus ideas. Nuestra principal conferencia anual reúne a líderes intelectuales de todos los campos para intercambiar ideas. Nuestro programa TEDx permite que comunidades de todo el mundo alberguen sus propios eventos locales, independientes, durante todo el año. Y nuestro Open Translation Project garantiza que estas ideas puedan superar fronteras.

De hecho, todo lo que hacemos, desde la TED Radio Tour hasta los proyectos nacidos del TED Prize, desde eventos TEDx hasta la serie de lecciones TED-ED, apunta a este objetivo: ¿cómo podemos difundir de la mejor manera las grandes ideas?

TED es propiedad de una organización sin ánimo de lucro y sin afiliación política.

TED ha concedido a Empresa Activa la licencia para español
de su serie de 12 libros en papel.

Estos libros, con un formato llamativo y original, no dejarán a nadie indiferente
por la variedad de autores y temática.

Por fin vas a poder profundizar y explorar en las ideas que proponen las TED Talks.

TED Books recoge lo que las TED Talks dejan fuera.

Pequeños libros,
grandes ideas
www.ted.com
www.empresaactiva.com